Prólogo o último mensaje para 1985
de Silvina Bullrich

Érase una vez un país que había logrado escalar la cima de los países desarrollados, su moneda era la más alta del mundo aunque en aquel entonces no le habían sacado nueve ceros como fue ocurriendo a lo largo de estos últimos quince años; que los poderosos del mundo respetaban y los menesterosos del otro lado del Atlántico iban allí a buscar pan y trabajo, se enriquecían, echaban raíces. Un humilde ganapán lograba el sueño de tener un hijo "doctor". Era un país de pie en su presente enfrentado sin vacilaciones hacia el futuro, hacia el progreso.

Ése era el país de mi infancia, de mi adolescencia, la Argentina destruida lenta pero incesantemente por diversos aventureros de la política, de las finanzas, de las ambiciones desmedidas.

El 21 de octubre de 1946 el nuevo Presidente

de la República que ya había gobernado desde Trabajo y Previsión, al presentar su primer plan quinquenal en el Congreso afirmó que "Inglaterra y Francia nos debían casi 8000 millones de pesos o sea algo así como 4000 millones de dólares, que cada peso papel tenía un respaldo oro de 1,44 y no debíamos ni un céntimo al exterior".

Los inmigrantes de las aldeas humildes de España y de Italia acudían en tropel, además de otros de mayor importancia que venían de todas partes del mundo, comerciantes, industriales, científicos. Ninguno imaginó que un día la quinta parte de su población viviría en Villas Miseria, que deberían mendigar la dádiva de unas cajas llamadas PAN otorgadas por el Gobierno pero pagadas por toda la población y que se prestan a manipuleos de parte de quienes las distribuyen. Este pueblo pobre, manejado por dirigentes sindicales que logran sin apoyar sus reclamos, saciar su codicia, le teme a todo y a todos, a los mandamás y a la miseria y al hambre porque ya conoce todo eso. La clase media y aún los obreros que hace cuarenta años, treinta años, veinte años, hacían aportes jubilatorios con una moneda sana o apenas resfriada reciben hoy una jubilación que podría llamarse propina en la moneda más envilecida de la tierra después del marco alemán de 1918.

En aquel país que he descripto no todo era júbilo. Faltaban leyes obreras, no existía ni el aguinaldo ni los derechos por despido o maternidad; el obrero estaba desprotegido. El empleado doméstico en cambio era otro miembro de la familia. Se quedaba hasta su ancianidad en el hogar donde había comenzado a trabajar y casi siempre se retiraba con una casita regalada por sus patrones. No obstante durante su vida activa había gozado de mínimas licencias, sólo salía domingo por medio después del almuerzo y debía volver antes de la comida de la noche; se le exigía buena presencia aunque sus patrones no la tuvieran. Pero por lo general el patrón no andaba desgreñado ni se sentaba a la mesa con remera o en mangas de camisa. Si a una chica se le ocurría presentarse al comedor con ruleros en la cabeza se la mandaba a quitárselos antes de ocupar su asiento en la mesa familiar.

A esta gente prolija, culta, distinguida se le llamó "oligarquía". Sin embargo ellos plantaron todos los árboles que aún quedan en nuestros campos, montes y parques diseñados a menudo por grandes artistas de jardinería de Europa, algunos tenían cielos rasos pintados por Serts como aún se puede observar en la actual Embajada del Brasil. En todas las casas había bibliotecas y en las más modestas estanterías. Aprendíamos a encuadernar porque era un oficio artesanal necesario, apreciado, bien pago que salvaba del olvido las obras maestras de los escritores que el polvo y las polillas devoran cuando nadie protege su edición en rústica. En muchos hogares se compraban obras de arte; las amas de casa se enorgullecían de poseer una pieza de plata bien lustrada, acaso la única que, si no eran ricos, habían podido adquirir. Como es de imaginar no sólo era impensable la fuga de cerebros sino que a mediados de la guerra de España y de la Segunda Guerra Mundial la inteligencia del mundo entero se volvió hacia estas costas. Era una tierra fértil y próspera habitada por hombres ambiciosos de fundar allí su hogar, de darles carrera a sus hijos, de convertirla en una Patria.

Ese país es hoy el territorio en que se vive más pobremente del planeta, la mayoría de sus habitantes, los que no están en la miseria, obtienen ganancias de alrededor de cien o ciento veinte dólares mensuales, menos que en Filipinas, en Guatemala, en Nicaragua. Y es también uno de los países más endeudados del mundo (de 12.000 millones que debía en 1978 pasó a deber en 1985 cincuenta y seis mil millones de dólares).

En ese país los escritores ganábamos poco pero no nos importaba porque creíamos en la perdurabilidad de la labor creadora e ignorábamos que un día nuestros lectores llegarían a insultarnos en términos soeces cuando no estaban de acuerdo con nuestras opiniones.

Ese país es mi país. Pero ante la falta de respuesta intelectual de la masas y aún de numerosos grupos semi intelectuales decidí hacer un compás de espera antes de escribir otra novela y dediqué el último año al periodismo en un diario que aún logra conservar un gran porcentaje de lectores cultos porque no explota el escándalo, la venganza ni la incultura; prefiere perder lectores antes que convertirse en prensa amarilla. No juega al paladín del heroísmo pero no retrocede un tranco de pollo ante su misión de dar noticias veraces sin temor ni retaceos. Esos artículos publicados por mí durante el último año en *La Nación* son los que a pedido de muchos lectores que por diversas razones de ausencia, enfermedad o duelos personales no habían podido leer. Otros que han leído la mayoría deseaban tenerlos recopilados. La única manera de lograrlo era reunirlos en un volumen.

Por supuesto mis notas no pueden ser demasiado optimistas; caen en la ironía y el sarcasmo porque el granero del mundo no logra vender un solo grano por haberse alejado de la Comunidad Europea que tal vez de ser otra la actitud de la Argentina sería menos severa con nosotros y esta tierra en que el ganado se cría solo sin repararse bajo ningún techo habla de importar ganado en pie de países vecinos más chicos y en donde los productos en general son más caros que en el nuestro. Este nuevo país que oscila, pierde color, se deforma como en un televisor mal ajustado sigue siendo el mío y hago esfuerzos inauditos por comprenderlo. Creo en la democracia, he luchado para ayudar a recuperarla pero no soy tan ingenua como para creer que esa palabra es la varita mágica que pone fin a todos los males cometidos por la naturaleza y por los hombres. La democracia no puede impedir las inundaciones, ni crear riquezas en un tiempo prudencial. Sería posible achicar el gasto excesivo del Estado pero esto no en forma inmediata pues crearía más desocupación, más pobreza que la que ya se soporta. Para ser lógico este régimen debería· abstenerse de nombrar a los amigos que pueden vivir sin depender del erario público y disponen de medios para hacerlo. Nuestro cuerpo diplomático es excesivamente numeroso, alimentamos representaciones inútiles, agregados no demasiado útiles en todas las disciplinas y más consulados que la mayoría de los países del mundo. Mucho se habla de suprimir también autos oficiales, gastos de nafta y desplazamiento de los funcionarios pero esto no ocurre jamás porque siempre estamos entre una y otra elección. El defecto de la democracia es que pretende basarse sobre la conducta de hombres perfectos y todos somos imperfectos. Ningún gobernante quiere defraudar a sus correligionarios y dejar de premiar a quienes ayudan a ganar bancas en el Parlamento. Pone cortapisas al voto de los inválidos, jubilados, ancianos y enfermos del corazón obligando a subir dos y tres pisos para depositar su voto en la urna correspondiente. Capitaliza todos los sacrificios de cada habitante del país gastando sumas incalculables en una campaña electoral que hace creer a los dos millones de analfabetos que lo habitan que van a votar de nuevo por un Presidente de la República a tal punto ·que muchos de estos ·infradotados afirmaban que iban a votar por Perón y Evita sin recordar que habían muerto.

He mirado mucho, he observado mucho, he preguntado mucho y he sentido una profunda amargura invadir mi ánimo ya decaído.

A pesar de esto me alienta el saber que tenemos un Gobierno honesto en lo que respecta a no servirse a su gusto de los dineros públicos. No roba. Los radicales nunca robaron. En otros países dirían que esto es lo mínimo que se le puede pedir a un gobernante pero en América Latina se sabe que es una condición no siempre respetada, que la mayoría de los gobernantes se retiraron con fortunas colosales, de ahí que puedan escapar tan rápido en medio de las revoluciones. Nosotros no fuimos una excepción aunque quizá la excepción entre nosotros fueron los gobernantes que se enriquecieron fraudulentamente. Esto me permite creer que nuestra tierra no es irredenta; por el contrario está siempre al borde de la redención. Pero aunque no se roba se derrocha, se calcula mal el presupuesto y como ya lo dije se mantiene amablemente a los amigos en las grandes capitales del mundo.

Nada de lo que acabo de decir sería de extrema gravedad si no lo fuera el misérrimo estado económico de los argentinos. La pobreza se extiende por falta de inversiones extranjeras y de apertura de fuentes de riqueza. Vivimos al azar de un trabajo transitorio bien o mal remunerado; los jóvenes se van al extranjero y la fuga de cerebros es una realidad insoslayable. ¿Qué puede hacer aquí un investigador si no tiene los elementos esenciales para comenzar a investigar? A todo eso se suma un descontento creciente, huelgas no confesadas "salvajes" como se dice ahora, miles de edificios que quedan de pronto sin luz, sin agua y sin teléfono. El país funciona con engranajes que rechinan y no se encuentra un técnico que sepa aceitarlos. Que entre nosotros pueda faltar la carne también es una irrisión.

Todos estos elementos me dieron tema para los artículos que aquí he reunido. La gente afirma con admiración que soy valiente; yo sé que soy cobarde y callo mucho de lo que se me atraganta como una espina de pescado. Pero en mayor o menor grado todos los humanos conocemos el miedo.

Por otra parte yo no juzgo solamente a un gobierno sino a un pueblo: al mío. Lo juzgo como me juzgo a mí con la sinceridad con que escribí que ese día cumplía setenta años ante la admiración de muchos y los insultos de otros que lo consideraban una indiscreción, una falta de buen gusto, una decepción porque creían que tenía cuarenta años. Ese mismo día mi hijo cumplía cuarenta y ocho y soy lo bastante conocida como para que la gente sepa mi edad, estoy en el *Quién es Quién* y en el *Diccionario* Espasa Calpe.

El lector encontrará aquí una vasta nota sobre el 14 de Julio en Francia y mi aseveración de que ese país influyó sobre la cultura del Río de la Plata, por consiguiente la de mis padres y la mía. No faltó

14

quien se enojara. Parecen ignorar que hasta hace veinte años el francés era el idioma diplomático, que aún en las tarjetas de invitaciones reza al pie R.S.V.P. Quizás ignoren qué quiere decir *répondez s'il vous plaît*. Hace menos de diez años que en esas mismas invitaciones en lugar de decir *tenue de soirée* se pone *black tie*. El término inglés para significar *smoking* significaba que la mujeres debían ir fuera posible de largo o con vestidos de cocktail muy paquetes.

Entre las cartas inusitadas que he recibido y que hubieran merecido ser recopiladas en un volumen, una afirma en respuesta a mis dudas sobre la veracidad de las encuestas que ese señor se dedicó a una encuesta entre sus relaciones y el 90% nunca me había leído, mi nombre les ponía los pelos de punta y él había leíodo un solo libro mío. Me alegro de que se trate de un grupo reducido pues en estos cincuenta años de vida literaria he vendido más de dos millones de ejemplares de mis libros y gracias a ello he vivido muy confortablemente. ¿Pero si me ignora por qué me escribe?

Todas estas reacciones, las de las alabanzas como la de los ataques, me afianzaron en mi creencia de que tanto a mis amigos como a mis enemigos desconocidos les interesaría encontrar estas notas agrupadas para releerlas, comentarlas entre sus relaciones, vilipendiarme a gusto sin encontrar el pretexto de que ya tiraron el diario pero que di tal o cual opinión. Este último año de opiniones sobre hechos

de actualidad está aquí reunido. No es naturalmente lo más perfeccionado de mi obra literaria pues el
periodismo debe ser más ágil pero menos profundo
y no obliga a quien lo hace a poner personajes de
pie, insuflarles vida, hacer correr sangre por sus venas, enfrentarse unos con otros y hasta con el
autor. No obstante, alguien me dijo que "era
mucho más importante que escribir una novelita".
Hay gente para todo. Y abundan quienes ignoran
que la novela es.un género difícil, inmortal, merece-
dor de los grandes premios del mundo entre ellos el
más codiciado, el Premio Nobel, y que mientras los
ensayos envejecen y mueren nunca envejece ni
muere *El Quijote*, la obra de Proust, la de Dickens,
el *Fausto* de Goethe, ni *Los miserables*, ni miles de
otras novelas que la gente lee a través de los siglos
en su idioma si lo saben, en traducciones a menudo
peor que mediocres pero ¿qué otro remedio si
queremos leer *La guerra y la paz*, Crimen y castigo, Los hermanos Karamakov y toda la literatura
rusa?

Debo detenerme en mi afán de nombrar porque no sólo admiro las obras más famosas de la literatura universal sino que considero que escribir
un best-seller actual como lo hacen los americanos
es una tarea valiosa y nada fácil. *Aeropuerto* puede
ser un ejemplo, *Raíces* otro y aquí también me obli-
go a detenerme porque sin novelas como *Odessa* u
Holocausto se sabría mucho menos de los crímenes
nazis. La novela es la verdadera historia de nuestra

16

civilización. Es también el primer paso que hizo el hombre para penetrar en el interior de sus sentimientos, de su mente, de sus conflictos íntimos o sociales, es la madre del psicoanálisis.

Pero si bien la novela es la historia en lo mediato, el periodismo es la historia en lo inmediato. Esta inmediatez es lo que intenta reflejar esta compilación de un año en que los argentinos se debatieron entre ilusiones pueriles, imposibles de lograr, y una realidad cruel a causa de diferentes factores entre ellos los elementos. Esto no nos toca sólo a nosotros, recordemos que es el año más infausto en la historia de la aviación civil y de los terremotos, huracanes, tempestades. En el terreno local nuestra moneda perdió tres ceros más y cada uno de sus habitantes conoció penurias que jamás había conocido, la deuda externa se acrecentó a causa de los intereses, la desocupación, la falta de vivienda, los sueldos de hambre se instalaron dando lugar a las huelgas que ya he comentado, muchas de ellas inconfesadas pero que fueron dejando a los diversos barrios de la ciudad por turno sin agua y sin luz.

En años anteriores he publicado una recopilación de artículos de viajes titulada *El mundo que yo vi,* luego una de artículos literarios titulada *La aventura interior,* hoy me toca recopilar estas observaciones cuyo tono irónico no atenúa el dolor de advertir que la democracia habrá dado o no libertad para expresarse pero no ha aumentado sino más bien disminuido el poder adquisitivo de la clase media, fiel lectora de los escritores argentinos.

Mis editores y yo nos sacrificaremos para que
este libro esté al alcance del bolsillo de quienes nos
han acompañado durante casi medio siglo. El
diario *La Nación*, con su generosidad habitual,
acrecentada por el nuevo Director que conoce a
fondo la situación dado que pertenece a la genera-
ción intermedia, la que se codea con muchos amigos, frecuenta restaurantes y tiene una mujer inteligente y trabajadora en otro ramo, el de la moda,
nos ha cedido sus derechos de autor. Todos hemos
puesto lo mejor de nosotros. Ojalá quienes tengan
este volumen entre sus manos aprecien estos esfuerzos. Ser escritor en la Argentina es más engorroso
que pretender criar novillos en el piso ochenta de
un rascacielos de Nueva York. Somos unos locos
iluminados, ya no demasiado, apenas con una vela
que el soplo de los acontecimientos intenta apagar.
Pero mientras esté en nuestro poder no permitire-
mos que nadie la despabile. Después de todo si un
loco tiene derecho a vivir también lo tiene un escritor. Son realidades que no se discuten, como nacer
autista o mogólico. Reconozco que molestamos a la
sociedad, pero esto ocurrió siempre aun en los
países más civilizados donde muchos escritores en-
cauzaron el curso de la historia. Pero también
distraemos y como afirma el Talmud: "El paraíso
será de quien haga reír a sus compañeros". Yo los
hago sonreír y menear la cabeza, solidarizarse o in-
dignarse, en resumen los hago vivir en medio de un

contexto social medio muerto, adormilado, que ya se encoge de hombros ante las injusticias de su destino tan diferente del que leyeron en las palmas de su mano las gitanas de principios de siglo.

Lo que diferencia al joven del viejo es la capacidad de reaccionar, por eso este país joven debe saber levantarse una y otra vez aunque lo hayan aporreado en el ring. Arriba, pero sin concesiones, sin mentiras, sin hipocresías. De cara al porvenir pero sin olvidar las experiencias pasadas, por el contrario recordarlas será una gran lección. No debemos olvidar ni las asonadas militares ni ninguna de las triquiñuelas del fraude electoral. Ni nuestra pasada grandeza y nuestra pobreza actual. Actuemos sin olvidos, sin impaciencia pero no con una paciencia infinita. En manos de cada uno de nosotros hay un puñado de arena que ayudará a reconstruir nuestra patria. Los que no se atreven a intentarlo tienen razón de tomar pasaje de ida hacia tierras más fecundas intelectualmente y económicamente. Yo ya hice mi juego y el croupier gritó "¡no va más!".

Llega una edad en que difícilmente la gente elige el exilio aun si cuenta con amigos en otras partes del mundo, desgraciadamente cuando se es más joven obligaciones de familia, por lo general filiales, nos obligan a volver al país. En nombre de todos aquellos que hemos hecho nuestra obra aquí, hemos elegido y reelegido a la Argentina para vivir y luchar, los que nos gobiernan, seres siempre omnipotentes, usen uniformes o vistan de civil, deben apoyar a la cultura en general, no a un reducido grupo de amigos. Nuestros libros deben poder salir al exterior sin trabas y el ciudadano medianamente culto debe disponer de la suma necesaria para comprar al menos uno por mes. De lo contrario caeremos en la mediocridad científica. No queremos ser kelpers por el mero hecho de haber nacido aquí y en muchas ocasiones de tener abuelos, bisabuelos y hasta tatarabuelos argentinos que nunca coimearon ni dependieron de ningún gobierno pero hicieron la grandeza de la Patria. Ningún gobierno en la historia de la humanidad ha podido subsistir sin el apoyo de los intelectuales, y nada empaña tanto la imagen de la Unión Soviética como su represión a la cultura.

Los hombres y los gobiernos son transitorios pero la cultura es eterna además de haber provocado la Revolución Francesa, la Revolución Rusa y la Revolución Cubana para no extendernos en la fuerza que ejerció y ejerce en toda América Latina.

Éste es un prólogo pero también un mensaje. Sólo las vacas en la India son intocables, los hombres a lo largo y a lo ancho de todo el planeta son vulnerables y no deben desdeñar al prójimo. El karate enseña a aprovechar la fuerza, no la debilidad del adversario. Sobre la fuerza casi sobrehumana de reyes y emperadores supo siempre triunfar la debilidad del pueblo. Que nadie intente desdeñar sus aspiraciones ni sus derechos. Que nadie lo subestime. La palabra democracia suena a hueco cuando las necesidades vitales de un pueblo no logran ser satisfechas y unos cuantos elegidos gozan de canonjías.

En mis notas periodísticas suelo ironizar; en este prólogo voy derecho al grano. La Argentina debe elegir ya, con premura, sin perder un minuto entre la justicia social o el caos que surge siempre de la miseria. Las inundaciones demuestran que Dios vuelve la espalda a quienes le vuelven la espalda a Él. No sólo con cifras se gobierna a millones de seres humanos cuya mayoría no sabe ni leer ni escribir y aún menos contar porque el destino ha restado por ellos durante medio siglo.

Ha llegado la hora de la verdad. Será dura de tragar pero tampoco es tan estimulante ver que todos los economistas de la tierra nos estudian bajo su lupa como si fuéramos insectos. ¿Acaso nos metemos nosotros en sus cuentas? No. Por lo tanto ¡Basta!

Todos trabajamos,
pero ¿quién produce?

El 30 de octubre el pueblo argentino corrió a las urnas impulsado por el natural deseo de tener una democracia que le permitiera participar en el quehacer del país, no el de ser un mero espectador, como ocurre durante las dictaduras. No obstante, transcurridos más de cien días advertimos que nadie reclama nuestra participación y seguimos al margen de la historia, que, sin embargo, escribimos por nuestra sola existencia.

Durante el primer peronismo, para obtener un cargo o aun para conservar un puesto, había que afiliarse al Partido Justicialista. Durante el segundo peronismo, sin embargo, personas contrarias al régimen como yo, fuimos llamadas a participar y formé parte del Directorio del Fondo de las Artes, dejando bien sentado que no era peronista. El argentino actual tiene la impresión de que casi todos los nombramientos están destinados a los radicales, y ni siquiera se recuerda a quienes hemos apoyado la campaña desde el llano. Éste es un primer punto.

El segundo punto es la sensación clara de que el país no produce. Hay gente que conduce colectivos, automóviles, trenes, aviones, vendedores tras el mostrador de una tienda vacía, escritores que no escribimos porque nadie puede pagar el costo de un libro, empresas más o menos quebradas, intermediarios, ademanes fantasmales, venta y compra de acciones o divisas, pero una grave carencia de producción.

Por eso el pueblo no acudió a la Plaza de Mayo. Fueron los muchachones de siempre, los que igual iban a vivar a Perón, la invasión de las Malvinas o al doctor Alfonsín. Hay un profundo desconcierto en todas las capas de la población. Aún "no sabemos de qué se trata".

El tercer punto, tan crucial como los demás —y es de esperar que los tres sirvan para hacer reflexionar a nuestros gobernantes sobre la necesidad de escuchar los consejos y de apoyarse sobre un sector más vasto de la población—, es la dificultad de que un pequeño inversor invierta en la Argentina.

Allí por 1949 instalé un tambo en Oliden, kilómetro 83 sobre el camino Costa Sur, llamado "La Guapeada". Era una verdadera guapeada. Pero no estaba sola, pues no contaba con el capital necesario para comprar esas 148 hectáreas con un bajo anegable y, aún menos, para poblarlas. El Banco de la Provincia de Buenos Aires me prestó el 50% para dicha adquisición y luego el 80% para comprar cada vaca, el carro, el arado, los caballos, los tarros, los baldes, todos los implementos necesarios para que mi tambo pudiera comenzar a funcionar. Y funcionó admirablemente, mientras tuve tamberos holandeses. Al cabo de cuatro años los laboriosos holandeses, que cobraban el 50% de las entradas brutas de la leche, habían ahorrado para comprarse su propio campo y explotarlo con la eficiencia que tienen los hombres de esas latitudes. Eran un matrimonio y dos hermanos.

Al perder a esos invalorables trabajadores tuve que recurrir a tamberos argentinos, que, desobedeciendo mis órdenes, ordeñaban las vacas casi hasta el final de la preñez, alquilaban el toro a los vecinos y otros desmanes semejantes, porque como no tenía casco yo sólo iba a pasar el día y no podía vigilarlos como es debido, y cuando tuve que vender el campo para comprar el departamento en que vivíamos lo hice sin demasiada tristeza porque estaba cansada de tanta trapisonda.

Ahora bien: ¿puede un pequeño capitalista invertir en la Argentina? ¿Pueden los bancos prestarles sumas equivalentes a las consignadas para comenzar a trabajar, con intereses muy bajos, por añadidura? Lo ignoro, pero no lo creo. Sin embargo, no hay otra manera de producir que con esa clase de apoyo. De lo contrario, la gente juega a la Bolsa, al dólar, a comprar y vender un departamento, a temer alquilarlo. El Producto Bruto Interno no puede aumentar si el argentino especula en vez de producir.

No ignoro que la deuda externa traba los movimientos de quienes nos gobiernan. Es la prioridad número uno, pero ¿cómo podremos pagarla si no producimos? Contrayendo nuevas deudas y completando el círculo vicioso de un país de mercaderes que no deja nada tras de sí, como ocurrió con Cartago.

Esta preocupación debe ser primordial no sólo para los ministros de Trabajo, de Economía y de Bienestar Social sino para todo aquel que maneje cualquier repartición del Estado. Me refiero, sobre todo, a la cultura. Hace cuarenta años, las bibliotecas municipales nos compraban gran parte de nuestras ediciones. Aún recuerdo la generosidad de Juan Pablo Echagüe con los escritores jóvenes, que de otro modo no hubiéramos podido publicar, pues por lo general se demora bastante en conseguir editores. Los editores, a su vez, nos indexan nuestros adelantos, pero no nos indexan las modestas regalías que cobramos al cabo de ocho meses, cuando nos llegan las liquidaciones. ¿Quién puede escribir en esas condiciones? La producción literaria volverá a ser un lujo de millonarios como lo fue en la época de Hernández, luego en la de Güiraldes, Larreta, Victoria Ocampo. Ya en nuestro país el que no disponga de grandes sumas para subsistir no podrá gozar del tiempo ni de la serenidad suficientes para sentarse a escribir un libro.

Tal es el panorama, desolador, sin duda, de nuestro presente. Las autoridades no pueden permanecer sordas ante argumentos tan claros como los que acabo de exponer.

El trabajo actual de los argentinos, que consiste en hacer que el dinero cambie de mano, no es mucho más constructivo que el de los jugadores de póquer, de dados, de ruleta, de carreras, de PRODE: exponer sumas mínimas, hacer esfuerzos mínimos con la esperanza de que el destino les permita "ganarse la diaria".

Por esto, digan lo que dijeren nuestros gobernantes, no somos *un pueblo maravilloso*. Somos un pueblo quebrado, cínico, descreído, escéptico. Desocupados, semidesocupados y mal pagos, como los modestos jugadores de cualquier cafetín de barrio. Urge buscar remedio para este estado de cosas: pese a la dignidad de su recuperación cívica, el país está en terapia intensiva.

Manuel Mujica Lainez, 1910-1984
Manucho

En diversas oportunidades me ha tocado recordar los principios de mi amistad con Manucho. El tenía dieciocho años, yo sólo trece, y apareció en mi casa invitado por mi hermana mayor a la que festejó durante un tiempo. En aquella época se usaba la palabra "festejar", cosa que hoy no existe, pues de la amistad se pasa a un noviazgo compulsivo o los jóvenes dejan de verse como si nunca se hubieran conocido. En aquel entonces, las cosas eran diferentes. ¡Cómo no habrían de serlo, si han transcurrido nada menos que cincuenta y cinco años! Mi padre no consideraba correcto que saliéramos con los "muchachos", otro término hoy cambiado por el de "chicos"; decía que si teníamos casa no había motivo para que "anduviéramos por ahí como dactilógrafas". Por eso nos permitían invitar amigos a comer, cosa que alegraba a todo el mundo, pues era una de las mesas en que gracias a la dedicación de mi madre se comía mejor. Sabía dirigir a los cocineros porque había seguido cursos de cocina.

Manucho apareció una noche mientras yo esperaba a Lord Byron en lo alto de la escalera de mármol. Laura me había mentido sobre su físico, y ese primer choque nos convirtió transitoriamente en enemigos. Pero ni yo podía seguir teniendo trece años ni él dieciocho. El tiempo pasa y nosotros con él.

A lo largo de esos años Manucho fue el asiduo comensal de los sábados en la casa de la calle Galileo. Lindo "hotelito", como se decía entonces, edificado con afán de perfección, con caños de bronce para que durara muchos años. Hace quince que lo han demolido y han edificado en su lugar un edificio de departamentos.

Laura salía mucho y yo, menos mundana, menos bonita, y dos años y medio menor, seguí haciéndome muy amiga de ese joven escritor que decía, encogiéndose de hombros, ante mi afán de escribir:

—Es una distracción cómoda y barata.

Me resultó incómoda y cara, pero ni él ni yo podíamos aún saber que se trataba de una vocación verdadera. Nos divertíamos a menudo como chicos solitarios tejiendo rimas pésimas como las de una noche en que había un gran baile. Uno decía un verso, otro el siguiente:

Todos se fueron al baile
Solos quedamos los dos
Solos con un viejo fraile
Que estaba enfermo de tos.

34

"¡Qué desastre!", exclamábamos. "Hoy no estamos inspirados o la rima era demasiado difícil".

Otras veces fuimos más ocurrentes como:

Si la hija del rey de Betulia
Está triste y padece de abulia
¿Qué le importa a Melián Lafinur?

O cuando alcanzábamos la cima de la inspiración:

Aunque llegue el rey de Nubia
Con todos sus cocodrilos
Y la cortesana rubia
Podremos dormir tranquilos...
Aunque llegue el rey de Nubia

y volvía el refrán.

Tengo muchos recuerdos de Manucho en mi casa o en la suya, donde a veces me invitaban a almorzar, pues su madre me tenía mucho afecto. No conservo, en cambio, ninguno de Manucho en fiestas o bailes. Como yo, él odiaba bailar, y en aquel entonces no era mundano. Sólo se permitió serlo después de haber demostrado que era un gran escritor.

Manucho intentó estudiar Derecho, dado que era la carrera obligatoria de los "niños bien" de entonces. Se presentó ante muy pocas mesas examinadoras pues cuando en una le dijeron que explicara qué era el bimonetarismo se quedó abismado, se echó a reír con esa risa suya, que tuvo hasta el final, y se alejó para siempre de la Facultad.

—Imaginate —me decía—, ¡cómo puedo llegar yo a saber qué es el bimonetarismo!

Nadie era demasiado deportivo en la década del 30, pero Manucho era el antideportivo por excelencia. Sólo lo vi quemado por el sol en los últimos años, a causa de sus paseos por las sierras. Era un joven rubicundo, pero no le atraían ni el sol ni el mar; en el fondo era una rata de biblioteca transformado por el éxito en un escritor mundano. Yo en cambio salía en yate con mi padre y pasaba largos veranos en la playa; era muy buena nadadora; para Manucho eran ademanes inútiles que no conducían a nada, pues no serían un resguardo para nuestra vejez. Tenía razón, hoy mi respiración me detiene al cabo de cinco brazadas.

Poco antes de la guerra Manucho fue elegido por *La Nación* para dar la vuelta al mundo en el Graf Zeppelin. A su regreso me llamó para ir a visitarme. Yo estaba casada y tenía un bebé, pero seguíamos siendo grandes amigos.

—No puedo recibirte Manucho —le dije—, porque estoy con ictericia, toda amarilla.

—Para mí eso no tiene la menor importancia —me contestó—, porque vengo de un lugar donde todos son amarillos.

Había ido al Japón. Ante ese argumento irrefutable, lo recibí sin complejos.

El tiempo siguió corriendo, separándonos a menudo, y otras veces volviendo a unirnos gracias a nuestras mutuas carreras literarias. Recuerdo que un día le hice prometer que hablaría sobre mi tumba; desgraciadamente no podrá hacerlo.

Hace alrededor de quince años le tocó a él tener hepatitis y fui a verlo. Chía, su madre, nos trajo té, y Manucho me mostró que además de esa enfermedad sufría de un grave reumatismo en las manos: para poder escribir debía sumergirlas un rato en agua caliente, y ese ejercicio se repetía infinidad de veces a lo largo del día. Yo le decía "Manuchito", él me decía "Silvette". Había algo fraternal en nuestra amistad como en todas las tejidas en la adolescencia; podíamos pasar largos períodos sin vernos; siempre nos encontrábamos como si nos hubiéramos visto el día anterior.

En todas las Ferias del Libro intercambiábamos nuestra última obra. Este 8 de abril, sin embargo, yo eludí el tema. Sabía que según la expresión de mi padre "tenía plomo en el ala". ¿Cómo dedicarle entonces mi última novela titulada justamente: *¿A qué hora murió el enfermo?* Dimos algunos pasos juntos mientras me aseguraba de que "estaba muy bien". Se lo veía flaco, macilento, y con ese color que no engaña y nos recuerda que sólo somos polvo.

Hoy lo veo nuevamente como un gnomo travieso en su época de joven periodista ambicioso y de escritor novel ya indiscutiblemente talentoso.

No lo veo pelado sino con sus rizos oscuros, ni pálido sino con esa piel demasiado rosada que tenía a los dieciocho años. Pero aparte de esa apariencia externa siempre fue el mismo Manucho ingenioso, cortante de pronto hasta el punto de hacer reaccionar a su interlocutor con indignación, de nuevo sonriente, bromista, mitad cínico, mitad escéptico, y en el fondo muy "querendón" como todo criollo.

Hoy ya entró en la historia y en la leyenda. No tardaremos en saber que un pastorcito lo vio con su gorra de vasco, su capa y su bastón cruzar algún sendero de las sierras e internarse entre los matorrales. Por algo siempre tuvo algo de duende.

Swann sin Proust

Quien haya sido desde su adolescencia apasionada y su juventud fervorosa un fiel lector de Proust, quien haya vuelto a internarse en su mundo en los días cada vez más frecuentes en que ya no soporta la mediocridad que lo rodea y su propia mediocridad, porque la una destiñe en la otra y nadie escapa al mimetismo de la época y del país en que le ha tocado en suerte vivir, ha sentido sin duda, como yo, un deseo impaciente, al llegar a París, de correr a ver cómo había sido adaptado al cine.

Contrariamente a lo que he oído afirmar muy a menudo, la obra de Marcel Proust me pareció siempre la más cinematográfica de la literatura universal. ¿Cómo no serlo si sus ambientes, sus personajes y los más mínimos detalles de un decorado, de un vestido, de un ramo de crisantemos desfilan a lo largo de los años por nuestra mente como si hubieran sido filmados? De ahí que me sorprenda que se haya demorado tanto tiempo en llevar a la pantalla ese mundo inolvidable en el que nos parece haber vivido, que seguimos viendo con la misma nitidez con que vemos a Carlitos Chaplin en *La quime-*

ra del oro y nadie podrá borrar de nuestra memoria, salvo la muerte, su bombín, su chaquetita angosta, su bigotito, sus zapatones y la triste danza de los panes en una noche de soledad.

El universo de Proust está compuesto de descripciones tan exactas que el guión parece haber sido escrito inconscientemente y el cine no necesita inventar ni recrear sino copiar lo que le ha sido dado.

Sin embargo, los cineastas del mundo entero piensan lo contrario: en 1962, Nicole Estéphane compra los derechos de *À la recherche du temps perdu* a un precio altísimo. Por supuesto, comprar toda la saga era apostar demasiado y prepararse a filmar no una película sino al menos tres o cuatro. René Clément parece haber sido elegido para ser el director, pero es reemplazado luego por Visconti. Sin embargo, pese a la posibilidad de disponer de Brigítte Bardot para el personaje de Odette, que hubiera sido un acierto completo, y de Greta Garbo, que aceptaba reaparecer tentada por la personalidad altanera de la duquesa de Guermantes, además de Marlon Brando y de Alain Delon, el único que quedó en el filme actual del soñado reparto, la filmación quedó en la nada. Diez años más tarde, Joseph Losey siente la tentación de hacer suyo el proyecto interrumpido y busca como adaptador a Harold Pinter. Cabe preguntarse por qué un equipo tan talentoso abandonó la idea. Entonces, Peter Brook y Jean-Claude Carrière piensan que, dada la imposibilidad de filmar ese ambicioso "gran fresco impresionista" al que aspira Losey, se puede elegir un episodio de la obra, y que el más acertado es *Un amour de Swann* por haber sido escrito en determinado momento en tercera persona y reflejar los amores de Swann tal como se los contó al narrador. Este proyecto es el que retuvo Volker Schlöndorff, cineasta alemán educado en Francia y, como todos los alemanes cultos, perdidamente enamorado de París. A menudo he dicho que la guerra del 70, la del 14 y la del 39 fueron algo semejante a la guerra de Troya, estallaron no por odio sino por amor, por ese deseo incontrolable de apoderarse de Francia, de poseer París como quien posee a una mujer largamente deseada, que tuvieron siempre los alemanes. Al filmar *Un amour de Swann*, Schlöndorff debió de sentir la impresión de que al fin poseía ese París secreto, el del pasado, rutilante, de la *joie de vivre*, del lujo, las vanidades, la frivolidad, el talento y el genio. Cuando anuncia que se "siente listo para una historia de amor" y que quiere filmarla en Francia está diciendo una verdad más profunda de lo que supone, pues no se trata sólo de la historia del amor de Swann por Odette sino de su amor por ese París que resucitará en la pantalla grande para los ojos profanos de aquellos que no leen ni leerán nunca a Proust, de aquellos que lo leemos y lo releemos, de aquellos que no han conocido ni siquiera el París anterior a la última guerra y jamás sabrán lo que se han perdido. Ahora sigue siendo la ciudad más armoniosa del mundo, pero sólo en su trazado y en su arquitectura; sus habitantes, salvo excepciones, son casi tan mediocres como somos los demás habitantes de este planeta, que antes del último holocausto que nos espera lo habremos merecido por pecado de mediocridad.

Habría que decidir ahora si el filme es un desacierto o un acierto, si está a la altura del texto y si ha sido fiel a Proust.

Para mi modo de ver, el texto está horriblemente mutilado, porque aunque la pasión de Swann por Odette pueda desprenderse del conjunto de la obra, considero que Swann no tiene existencia propia si no aparece unido a la familia Proust. Recuerdo que cuando fui a visitar la casa de Illiers, llamado Combray en el libro, me emocionó desde el principio ver en la reja de la puerta la campanilla que Swann hacía sonar cuando llegaba a almorzar los domingos. "Ese pobre Swann…" suspiraban la abuela y la tía Léonie sin advertir que se había convertido en un dandy, era amigo del príncipe de Gales y no iba a visitarlas porque ellas ocuparan una situación más encumbrada sino por una fidelidad que nunca decreció. Swann era judío; el actor Jeremy Irons no tiene el menor parecido físico con el de la novela. Swann era, restándole el matiz despectivo a la palabra, un trepador. Era muy rico y usaba su dinero para introducirse en sociedad. Estas realidades hacían más desgarradora su pasión por una prostituta que lo llevó al casamiento y por ende lo hizo bajar de las alturas a las que había llegado por méritos propios, circunstancias trascendentes que no intenta ni siquiera reflejar Schlöndorff. ¿Habrá temido, dada su nacionalidad, ser tildado de antisemita? El físico del actor no tiene nada que ver con el que nos permite imaginar Proust. Es un lord inglés, elegante, frío, no un trémulo y apasionado judío francés.

Ornella Muti no era la actriz indicada para hacer de Odette, pues le falta sex-appeal y su cara carece de las expresiones necesarias para llevar adelante su deseo de dominar a ese hombre y de convertirlo en su marido. En cuanto a Alain Delon como monsieur de Charlus, resulta aún menos convincente de lo que imaginábamos al leer el reparto. No hace ninguno de esos ademanes a través de los cuales se adivina al homosexual, los de las manos, los del cuello, siempre en movimiento, los de las caderas y los hombros que se balancean en forma femenina. Tampoco su cara encuentra ningún gesto corriente de los homosexuales. En resumen, la elección de los actores es desacertada. Por el contrario, los decorados, el vestuario, los carruajes, los criados, los objetos, los cortinajes, las alfombras, cada objeto y todos en general, los jardines, las casas, son exactamente las que nos describió Proust, pero apenas vemos a la duquesa de Guermantes y muy poco a madame Verdurin.

Lo más decepcionante para los proustianos es

el hecho, casi diría el sacrilegio, de haber hecho desaparecer por completo a Proust, porque Swann separado de su creador es un hombre cualquiera estúpidamente enamorado de una mujerzuela, pero en el contexto de *À la recherche du temps perdu* es una pieza que al desprenderse del tablero de ajedrez se convierte sólo en un caballo o en un alfil desparejo. Esta rigidez en ceñirse a un episodio sólo afloja en la despedida de Swann a su amiga, la duquesa de Guermantes, que ni siquiera le presta atención cuando él le dice que no podrá acompañarlos seis meses más tarde en un viaje que tienen planeado "porque de aquí a seis meses estaré muerto". Y ya recorremos toda la estantería que ocupa *À la recherche du temps perdu* para aterrizar en *Le temps retrouvé*, única concesión a sacar de su casillero ese episodio extraído de otro episodio que es la carrera exitosa de Swann, que a su vez emerge de la perspectiva en la que lo sitúa Proust.

En resumen, el gran ausente de este filme es Marcel Proust. Su universo, en cambio, ha sido magistralmente vuelto a la vida, renace de entre sus cenizas, tan fresco como si el París actual siguiera siendo una ciudad de lujos y placeres continuados, como si por sus calles circularan toda clase de coches a caballo, landós y calesas, sacados de no sé qué museo de antiguos medios de locomoción. También hay que admirar el acierto de haber filmado en los decorados que han sufrido menores cambios, como la Ópera, las Tullerías, el jardín de Bagatelle y el castillo des Champs, que Proust denominaba le Château de Guermantes.

No obstante, salimos del cine con la impresión de que un hábil prestidigitador nos ha escamoteado a Proust, que la pasión de Swann sin la fuerza que supo inculcarle su creador suena a falso y muchas otras notas falsas han ido deslizándose en medio de ese decorado fastuoso, hueco como una cáscara vacía: el inmenso vacío que nos deja durante casi toda la película el casi palpable vacío de la ausencia de Proust...

*Sólo los privilegiados podrán
viajar y comer
el amargo caviar del destierro*

Cabe suponer que en estos tiempos no sólo los psicoanalistas sino los cardiólogos han de estar trabajando a ritmo acelerado como la inflación, la devaluación y los latidos de nuestros corazones puestos a prueba todas las mañanas. Confieso que me despierto aterrorizada por obedecer al llamado insistente de mis dos despertadores, pero intentando aferrarme a la paz del sueño o aún a los sobresaltos de las pesadillas que son menos terroríficos que la realidad que me espera en las páginas del diario.

Hace un año, ilusionados como novias de dieciocho años, votamos por una fórmula democrática que juraba, por supuesto, respetar la Constitución. Nuestra luna de miel fue muy breve. Ya se le prohíbe a la gente asistir a ciertas misas y se le ordena retirarse si el sermón no es del gusto del Gobierno. ¿Con qué derecho se manda así a un ciudadano adulto? Pero, dejando de lado esa susceptibilidad partidaria que está lejos de mi órbita, de uno y otro bando, me ceñiré al ataque directo a la Constitución que significa pretender impedir a los ciudadanos ausentarse del país.

Como la gente está mal informada, dice que en Francia ocurrió lo mismo. En primer lugar no es exacto, porque en Francia no existen dös mercados de cambio y, en segundo lugar, Mitterrand tuvo que dar marcha atrás en su política izquierdista porque cayó su primer ministro y estuvo a punto de ser derrocado él también, cosa que hubiera ocurrido por primera vez en la historia de la República.

Cuando el Gobierno habla de desestabilizadores, creo que el doctor Alfonsín debería mirar a su alrededor, pues son los más cercanos a él quienes están destruyendo esa imagen que hemos adorado como a la de un salvador de la Patria y de sus instituciones.

Los demás, nosotros, el pueblo, el que vive en letras minúsculas, sólo presenciamos anonadados las medidas económicas que el Gobierno pretende instrumentar, pasando por encima de la Constitución como si fuera un papel viejo tirado en la vereda.

Cada uno tiene derecho a entrar y salir del país cuantas veces se le antoje, mientras no se le prueben delitos que lo impidan. En cuanto a gastar nuestro dinero también es asunto nuestro; ya pasamos la edad de pedirle permiso a mamá para comprar caramelos. Si nos gobiernan personas poco eficientes en el manejo de las finanzas, lo sufriremos como lo sufrimos a diario, pero eso no les da el derecho a retenernos dentro de nuestras fronteras como en la Unión Soviética. ¿Qué quiere nuestro gobierno?

¿Qué tengamos que escaparnos del país, como los alemanes de Berlín Este? Sólo nos falta el muro y los guardias armados. Por mi parte, si hay que depositar un millón de pesos, o lo que sea, para salir de nuestras fronteras lo haré; pero nunca más volveré a esta tierra que he querido por encima de todo en el mundo. Voté por la libertad y prefiero ser pobre y libre que esclava y con un buen pasar. Renunciaré a la admirable jubilación por haber tenido el Primer Premio Municipal de Literatura, que alcanza la elevada suma de 420 pesos mensuales y el banco para tenerla en la cuenta me cobra 630. Mis números parecen de un ministro de Economía argentino. Por lo mal que encajan, ¿verdad?

Pero no hablemos de mí, sino de estos sufridos treinta millones de habitantes que al llegar el verano quieren ir adonde se les antoje. Tampoco digamos que toda esa gente puede ir al exterior; pero según he oído por televisión, ya hay casi seiscientos mil pasajes pedidos para este verano. Me parece raro, dado que Aerolíneas ni siquiera emite boletos hasta el 13 de noviembre. Estoy escribiendo estas líneas el 9, fecha en que oí ese dato.

Hablemos de las dictaduras y de las democracias. En la Unión Soviética no dejan salir a los rusos del país. Los que pueden huyen al exterior, los demás luchan o aguantan; pero ellos al menos tienen en Moscú la Plaza Roja, que es la plaza más linda del mundo, y ese Kremlin imponente que como todo lo valioso que posee Europa fue cons-

53

truido por un soberano. En Leningrado admiran la ciudad mejor diseñada del mundo y ese Museo del Hermitage, que puede consolar vivir encerrado. Nosotros sólo tenemos paredes pintarrajeadas, veredas rotas, unos teleteatros a la altura cultural de una criadita de barrio, y parques resecos cubiertos de papeles grasientos.

Nosotros no hemos elegido un régimen dictatorial; por el contrario, nuestro voto fue un acto de fe en la libertad del individuo.

Doctor Alfonsín, ¿qué nos prometía usted o qué creía prometernos cuando nos afirmaba que viviríamos en democracia? ¿Este terror constante por actitudes arbitrarias? ¿Este miedo de quedar encerrados en nuestras fronteras como en un gran campo de concentración?

Para colmo de asombro, oímos al ministro Grinspun decir que "muchos viajan por frivolidad". Por supuesto, ésos serán los que podrán pagar pasajes altos y dejar cualquier caución, total los esperan jugosas cuentas en el extranjero, sus automóviles, sus yates en el Mediterráneo. Pero los intelectuales, los artistas, los científicos, todos los que necesitamos respirar un aire cultural más elevado, veremos nuestra posibilidad de estar al día en nuestras disciplinas, porque, contrariamente a lo dicho por el ministro, sólo los privilegiados podrán viajar y comer el amargo caviar del destierro. ¿Piensa el señor ministro que Marco Polo y Cristóbal Colón eran hombres frívolos y que no aportaron nada a la historia de la civilización? Nombro sólo a dos, pero fueron infinitos los navegantes que cambiaron la faz del universo. Tal vez también sean considerados una frivolidad los vuelos espaciales y el hecho de que el hombre haya caminado por la Luna.

Lo triste es que el Presidente no nos hable en estos casos, pues lo votamos a él no a sus ministros y, al parecer, antes de votar una fórmula presidencial en el porvenir va a haber que asesorarse sobre qué ministros piensa nombrar. De ahí, sin duda, que en los Estados Unidos hayan optado por no cambiar a Reagan, porque ya lo habían visto actuar durante cuatro años y sabían cómo se rodeaba.

También tiene gracia que sea oficialmente reconocido el dólar marginal, conozco algunos países en que las prostitutas pueden jubilarse y los homosexuales casarse entre ellos. Son demasiado permisivos y nosotros demasiado prohibitivos, no me extrañaría que un día nos obliguen como Khomeini a salir a la calle con un velo.

Sin embargo, aún espero un golpe de timón que nos restituya la imagen tan querida y apreciada, y votada, de un presidente comprensivo, muy argentino, muy democrático, cuya imagen no esté oculta detrás de sus ministros que, sin querer, la empañan bastante y, por supuesto, no son transparentes.

Los proverbios no mienten

Punta del Este. Aunque en la actualidad afirmar que "el ahorro es la base de la fortuna", adagio muy antiguo, parezca algo semejante a querer curar una gripe con cataplasmas, una pulmonía con ventosas o un insomnio con té de tilo, yo sigo sosteniendo que ese proverbio con el que nos criaron sigue siendo y será siempre la verdad de una persona y de un país. Por supuesto, hay que desmenuzarlo para adaptarlo a la época y hacerlo entrar triunfalmente en nuestra realidad.

Al referirme a un país pienso que Francia con su famoso *bas de laine* (la media de lana), donde cada campesino amontonaba sus monedas de oro, es una de las naciones donde hay más personas que tienen una situación acomodada, aun en los períodos en que el Estado está pobre. Porque todos sabemos que puede existir un país pobre con habitantes ricos o un país rico con habitantes pobres.

Estas reflexiones se me ocurrieron porque una amiga uruguaya consideró ofensivo que yo tildara a los uruguayos de "machetes". ¿Cómo enojarse de una cualidad manifiesta? En mi juventud los uruguayos nos decían: "Ustedes, los argentinos, cuando tienen un peso gastan dos. Nosotros cuando tenemos un peso gastamos cincuenta centésimos". Y así fueron la Suiza de Sudamérica, pese a su territorio reducido y a su carencia de petróleo.

Ahora vuelvo a la verdad universal de mi proverbio. Nadie afirma que el ahorro es sinónimo de fortuna sino, simplemente, que es "la base" y una base es siempre endeble si no se transforman los cimientos en algo sólido y se construye sobre ellos algo más sólido todavía a fuerza de esa otra base que se llama trabajo.

Ahora bien, yo no soy ministro de Economía para afirmarle a mi pueblo que "el que juegue al dólar va a perder", porque esta clase de afirmaciones que falsean la realidad hicieron de nosotros un pueblo más dispendioso de lo que era por naturaleza. Por lo tanto el que ahorra debe lógicamente ahorrar en algo no perecedero y ahorrar en pesos es algo semejante a pretender ahorrar varios kilos de lomo diarios porque al poco tiempo, por bueno que sea el refrigerador, empezará a apestar.

Pero es una ingenuidad suponer que sólo existe el dólar como medio de ahorro. Para no hablar de otras monedas como el yen, que cuando yo fui invitada a visitar Japón hace dieciséis años valía exactamente lo mismo que el peso argentino: un dólar, trescientos cincuenta yenes. Un dólar trescientos cincuenta pesos con seis ceros más que nuestra moneda actual.

Pero tampoco es necesario ahorrar en yen o en oro. Daré un ejemplo: hace una década un taxista inteligente, como casi todos nuestros taxistas, me dijo: "Yo gasto lo necesario para vivir con mi familia y con el resto compro bielas". Tenía por entonces una cantidad tan apreciable de bielas que se preparaba a instalar, junto con un amigo, un taller mecánico para dedicarse a venderlas.

Algunas de esas bielas eran piezas de museo por las que les pagaron precios altísimos porque eran indispensables para armar autos antiguos, otras eran incontrolables porque ya no las fabricaban, aunque las máquinas que las usaban gozaban de buena salud y transitaban por las calles pero ningún mecánico sabía dónde encontrar la biela que le correspondía hasta que aparecieron en plaza. Otras eran de autos extranjeros, otras eran corrientes pero necesarias.

En resumen, el taxista en vez de hacer lo que hizo mi almacenero que se fue a recorrer el mundo con su familia, total el dólar no valía nada, y a la vuelta tuvo que vender su almacén, hizo una pequeña fortuna. Digamos un buen pasar, porque hacer fortuna es un don especial, dado a muy pocos, como escribir *El Quijote*, componer la Novena Sinfonía, esculpir el *Moisés* o pintar los mirasoles de Arlés. Hay genios del arte como los hay de las finanzas. Los que sólo tienen capacidad, o talento, o perseverancia deben creer en el trabajo y en el ahorro: simbólicamente deben comprar bielas.

Mi padre, que tenía un agudo ojo clínico como médico y como coleccionista de cuadros, nos dejó una pinacoteca que representaba un buen pasar porque fue vendida durante la guerra. De haber muerto diez años después nos hubiera dejado una fortuna.

Quienes han sabido formar una biblioteca en la que abundan libros numerados, y aún mejor, incunables han dejado a sus descendientes mucho mejor situados que los que guardan dólares. Las joyas, las antigüedades, la platería, las porcelanas, los objetos de arte que un coleccionista sabe descubrir son, sin lugar a dudas, la base de la fortuna. Más bien dicho eran, porque esos hombres con visión y buen gusto van desapareciendo del mundo y los verdaderos millonarios compran los tesoros que aquéllos descubrieron.

Nosotros, la gente de hoy, nos contentamos con cambiar de auto o lucir un abrigo suntuoso, pero no podemos pretender basar sobre eso nuestro capital. Sin embargo, una prenda de vestir o un mueble son la base de un bienestar; ¿en cambio, qué les queda a aquéllos que sin la menor preparación artística o literaria, sin hablar ni una palabra de ningún idioma decidieron echarse a recorrer el mundo cuando el dólar crecía en los árboles?

Recuerdo haber encontrado en Luxor a una pareja encantadora con su chico, los tres desamparados, estafados por un beduino sonriente, instalados en un hotel de cuarta categoría cuando la excursión les aseguraba uno de cinco estrellas y tuve que salir en defensa de ellos, hablar con el conserje, obligarlo a instalar a mis desolados compatriotas en las habitaciones que les correspondían. Aún hoy me lo agradecen cuando me encuentran por la calle. No hablaban sino en español.

Después de este episodio me quedé pensando que hubieran hecho una buena inversión comprando libros sobre egiptología y mitología en vez de lanzarse a la aventura antes de estar preparados. Por lo tanto, aunque me tilden de machete sigo clamando que ahorrando nadie se convierte en Onassis, pero no ahorrando se termina fácilmente en los caños. Durante la Segunda Guerra Mundial los nazis escondieron tesoros fabulosos, algunos de los cuales aún no han sido hallados, por lo general robados a judíos indefensos. Pero también la gente decente, judíos o cristianos, pudo esconder y recuperar más tarde objetos de valor que les permitieron iniciar una nueva vida.

Contra la recesión que al parecer se nos viene encima creo que hay un solo remedio: trabajar y comprar. Así cada uno de nosotros venderá sus ballenitas y podrá adquirir las ajenas. Es una verdad de Perogrullo, simplemente porque las únicas verdades de a puño son las del tan mentado Perogrullo, que merecería una calle con su nombre, o una plaza o al menos una estatua. A mí me gustaría más una calle para poder decirle al taxista que ya

tiene una flotilla de taxis gracias a sus bielas: llé-
veme a la calle Perogrullo mil novecientos ochenta y cinco. Y llegaríamos, casi sin darnos cuenta,
sumidos en nuestras constructivas perogrulla-
das.

Saldos de fin de temporada

Esta vez decididamente se terminó la temporada que estamos tratando de asesinar antes de tiempo por el cúmulo de inquietudes, de proyectos y de esperanzas que agitan a nuestros países.

Finalizado Carnaval, los brasileños vuelven a sus lugares de destino porque ya han disfrutado hace rato de los bulliciosos carnavales en Río "que llevamos en la sangre", como me dice un gran amigo paulista.

Los uruguayos regresan a sus casas sin preocuparse, porque están tan cerca de Punta del Este que en cualquier momento vuelven a ordenar los últimos detalles. Cerca y lejos son dos palabras que, como caro y barato, se barajan fácilmente y no significan nada. ¿Qué es caro? ¿Qué es barato? ¿En qué moneda hablamos, con qué países comparamos?

Las vacaciones de los mayores, como la de los chicos, transcurren en un marco irreal. Resulta extraño pensar que el mar, la arena, el sol, los árboles, las flores, el césped, los cuerpos libres y bronceados son en definitiva la irrealidad y que todo lo construido dificultosamente por los hombres —las ciudades, las aceras rotas, el cemento pegajoso, las paredes calcinadas— son la realidad de nuestra vida. Sin embargo, es así para el habitante de la gran ciudad aprisionado en ella por deberes y trabajo.

También la vocación es una cárcel. Una joven amiga, encantadora, ingenua y de muy buena voluntad, me dijo seriamente: "Mirá, Silvina, yo te quiero como a una hermana o como a una madre y lo único que puedo aconsejarte es que no te enfrentes con la gente y pierdas esa manía de opinar". Me costó trabajo convencerla de que "esa manía" se llamaba vocación, profesión, oficio; que con ella me había ganado durante cuarenta años el pan, la manteca y hasta el caviar en los buenos tiempos, cuando la gente no decía que "los libros son muy caros".

Luego me quedé reflexionando que efectivamente los libros son muy caros no para el que los compra, sí para el que los escribe, y con mayor razón si se mueve en ambientes mundanos. Si Oscar Wilde no hubiera sido un "dandy", sus tendencias homosexuales le habrían costado menos caro, pero como dice Martín Fierro: "Nunca escapa el cimarrón si dispara por la loma". No obstante esa loma no la hemos inventado nosotros. Nos la ha ido regalando poco a poco el público, elevando nuestra modesta obra literaria hasta ponerla en la mira de aquellos a quienes no les gustan los éxitos ajenos. En este caso "aquéllos" significa los argentinos, porque ningún otro país del mundo odia tanto el éxito ajeno como los habitantes de nuestra tierra.

Triunfar es para el argentino un delito que se comete contra él no a favor de cada uno de nosotros y del país.

En estos días los cambios de gabinete tienen a mis compatriotas muy alborotados. Por fin otra renuncia, *ergo* otro fracaso. Ojalá todo siga saliendo mal así podemos quejarnos con motivo. "Esto nadie lo arregla", afirman. A nadie le importa el nuevo ministro, el nuevo subsecretario, el nuevo presidente del Banco Central; lo que los llena de gozo es que otro haya renunciado. Eso fortifica sus vaticinios de fracaso, de "que esto no camina", de mil calamidades ante las cuales son un poroto las siete plagas de Egipto. Menos mal, porque mientras saborean su placer junto con su "gin tonic" se olvidarán por un momento de vaticinar un golpe de Estado. Aunque parezca absurdo, un periodista me preguntó si yo creía en un posible golpe de Estado: contesté cualquier cosa porque no conozco a un solo militar y jamás vi venir ninguno de los golpes que nos asolaron. A renglón seguido me preguntó si era verdad que yo estaba arruinada. También contesté vaguedades porque para arruinarse la condición fundamental es haber tenido fortuna, cosa que nunca me ocurrió. Otros me preguntan si puedo vivir sin trabajar o más bien lo afirman. Lo ignoro porque nunca viví sin trabajar y, además, como vivir no es sólo comer, si no trabajara me consideraría un parásito social y mi vida perdería su sentido.

¡Vivir sin trabajar! Decirle eso a un escritor es como decirle que viva sin respirar. ¿Tiene derecho alguien a vivir sin trabajar? No lo creo. Llevar la vida sobre nuestros hombros cansados ya es bastante pesado para quitarle por añadidura toda motivación. En términos meramente económicos podría contestar como lo hizo un amigo mío: "Yo no tengo ningún problema de dinero siempre que me muera antes de pasado mañana". Pero en términos anímicos tendría un problema grave en este mismo momento. Mi padre atendió a su último enfermo, sintió un dolor en el pecho, subió a su cuarto y murió de un infarto. Tenía dos años menos de los que tengo yo ahora. Dios fue clemente con él, saludó su vocación y su gloria de médico exitoso haciéndolo morir, sin haber arrastrado ninguna invalidez, de la misma enfermedad a la que él había dedicado su vida entera: la cardiología. Pero mi padre nunca cayó en el pecado de hacer durante unos meses vida mundana, por eso mereció la clemencia del cielo. Yo merezco los palos que me da y los soporto estoicamente. Al final veo que esos saldos son positivos porque mi oficio es describir a los seres humanos y como Wilde procesado y como Proust agonizante y otros maestros cuyos rastros sigo con humildad, continúo observando ese material de disección indispensable para el novelista: la especie humana.

El escritor vive tironeado por su necesidad de

70

estudiar ambientes y caracteres y su necesidad no menor de hundirse en la soledad. Esta dicotomía irrita a los demás que la presienten y la temen quizá porque presienten que es demasiado exigirle al destino, que vivir es elegir y al negarse a una elección nítida, limpia, total, como cortada con guillotina, el novelista está jugando con cartas marcadas y por ende está haciendo trampa en el juego. Ellos han elegido, ¿por qué no elijo yo decididamente una vida frívola o una vida recoleta? Arguyo que lo hago en invierno pero me contestan con la mirada que no somos lapones para emerger de una larga hibernación y perturbar el ritmo constante de los demás.

¡Ay, cuántos riesgos corre un escritor en la frivolidad del verano y cuántos riesgos hace correr a sus inocentes amigos de travesía! Al final las cosas se equilibrarán porque todos disponen de una mesa de saldos y esos retazos de tela desteñida, gastada, de una medida que no sirve para confeccionar nada, se esfumarán entre otras adquisiciones de una señora que le gusta acudir a cualquier liquidación aunque ya tiene el ropero atiborrado de géneros inútiles. Y como en invierno la gente olvida usar naftalina, antes del verano próximo los recortes, apolillados, habrán ido a parar al canasto. Habrá que volver a recortar una tela nueva y deslumbrante en diciembre y quizá ninguno de los protagonistas se encuentre lleno de vida o embalsamado en las páginas de un *best-seller*. Entonces pensarán que el escritor no es tan temible como lo pintan, aunque hay quienes siguen afirmando que a menudo los libros muerden. Quizá por eso les parezcan caros... o baratos si el mordido fue el prójimo.

Los riesgos de la usura

Cada uno de nosotros, al despertarse una mañana, puede enterarse sin alegría de que está completamente arruinado. Esto no se refiere sólo a las tormentosas alternativas pecuniarias de nuestro país, sino a la posibilidad de una guerra atómica desencadenada sorpresivamente en el hemisferio Norte si se posee un capital en el exterior, a una revolución en un país supuestamente de moneda fuerte en una nación centroamericana o sudamericana. Mucha gente que aplaudía jubilosa el advenimiento de Fidel Castro se enteró a los pocos días de que había quedado en la ruina. Pero como sería largo recorrer el globo terráqueo vuelvo a nuestro inmenso y maltrecho territorio.

A principios de marzo tenía yo que hacer una operación a través del Banco de Italia. Un banquero amigo me recomendó "que tuviera cuidado" porque desde hacía tres años el banco tambaleaba, pero ya estaba en terapia intensiva y por una de esas desgracias que recaen sobre nosotros con la velocidad inesperada de algunos regalos como la lotería o el Prode podía yo quedar enganchada en esos dos o tres días. Por supuesto no lo hice, pues mi mejor cualidad consiste en asesorarme y escuchar los consejos de quien sabe más que yo en algún terreno. Aunque yo no debería por qué tener la más mínima cultura económica tuve que hacer como todos los argentinos cursos prácticos y acelerados en esta materia, pues hoy ignorar lo que se refiere a cifras e inversiones es como ser analfabeto.

Es duro juzgar a quien sufre por la pérdida de sus bienes, pero, ¿cómo suponer que alguien puede colocar dinero en un banco sin averiguar primero su solvencia? Y no me refiero a un pobre ahorrista, dado que el Central responde por la bonita suma de ocho millones novecientos mil pesos a tasa regulada y esto nos lo repiten a diario todas las tardes por televisión en los noticiarios de las siete y de las ocho; también nos lo informan los diarios. Me cuesta creer que alguien que tiene casi nueve millones de pesos no posea un televisor, dado que las antenas surgen hasta de las villas miseria. Tampoco es lógico que no lea un diario ni tenga un amigo en alguna financiera. Desgraciadamente, se especula tanto y se produce tan poco que la mayoría de nuestras conversaciones son con quienes nos aconsejan la mejor inversión, que corre el riesgo de ser la peor si no usamos nuestro sentido común...

Cuando alguien resuelve prestar una suma a una empresa lo primero que hace, o lógicamente debe hacer, es informarse sobre la solvencia económica y financiera de ésta. Pero la tendencia a la usura se ha desarrollado con la fuerza de las malas hierbas en nuestro país y los ahorristas, por tener un punto más, prefieren invertir en bancos tambaleantes sumas que no están amparadas por el régimen de los depósitos. También las colocaciones en dólares son arriesgadas. Tendré que advertir, como los locutores, que no gozan de ninguna protección; pero, para ser exacta, diré que cualquiera que sea el país del mundo en que invirtamos nuestro capital sólo goza de amparo la moneda local. Esto no nos impide a todos cometer imprudencias que pueden llevarnos a pegarnos un tiro, pero no nos asiste el derecho a injuriar a las autoridades y a preconizar el derrocamiento del Gobierno porque hemos obrado en contra de sus consejos y de sus advertencias. Cabe preguntarse si las personas que tenían sumas tan grandes no podían haberlas dividido en dos o tres bancos a tasa regulada para poder dormir tranquilos. ¡Pero esos dos puntos más...! A la gente se le llena la boca con ellos, nos refriega nuestra ingenuidad, nuestra ineficiencia, nuestra tontería, porque gracias a esos puntitos más yo podría estar mirando televisión en vez de escribir este artículo. No saben que me divierte más escribir que mirar televisión. No conocen los argentinos de hoy, el orgullo del trabajo bien hecho, la satisfacción de ser útiles a la sociedad, la plenitud que confiere la labor cumplida, sobre todo cuando se goza de la fortuna inestimable de tener una vocación. Dios me ha castigado mucho, pero me regaló una vocación, es decir, un trabajo que uno pagaría por hacer y por el que sin embargo le pagan; pienso que cuando me encuentre frente a Él en el otro mundo y yo le reproche el rosario de ausencias, de muertes y dolores que jalonaron mi paso por este valle de lágrimas, Dios me dirá que siempre tuve un consuelo del cual carece la mayoría de la gente: la vocación. Es verdad que quienes conocemos esa satisfacción intransmisible nos apiadamos un poco de quienes deben efectuar una labor sólo por la necesidad de ganarse la vida y de quienes si no necesitan trabajar viven angustiados ante la urgencia de llenar esas horas vacías que son todas las que no se dedican al trabajo o al amor. Pienso, como Gobineau: *Il y a l'amour, et puis le travail, et puis rien.* *

Esta digresión acaso un poco romántica en medio de un arduo artículo sobre inversiones, quiebras e intereses no es del todo ociosa. En realidad viene a cuento, porque, mientras me siento preocupada y apiadada por los empleados de un banco que han perdido su fuente de trabajo y temen por su porvenir y el de su familia, me pregunto si no habrá entre ellos alguno con una vocación que no sea la del empleado público. Hacen falta tantos artesanos, y la artesanía es el más apreciable arte menor. Hacen falta en todas las disciplinas personas con vocación de servicio, e imagino al Gobierno formando una comisión para encarar vocaciones. Porque en verdad, ¿quién puede pensar que su úni-

* "Existe el amor, luego el trabajo, luego nada".

ca vocación es colocar dinero a siete días y cuidar de sus pesos como pastores que cuidan de su rebaño? Y lo cuidan mal, como esa pobre pastorcita que según leí en el diario jugueteaba con una oveja, cayó a un precipicio y se mató. Moraleja: no debemos jugar con nuestras ovejas al borde un precipicio, y por el momento es el único espacio disponible que nos queda a los argentinos. El resto de terreno parece una extensión de piedras áridas semejantes a las que vemos en los filmes de ciencia ficción o a un paisaje lunar. Sin embargo, en algunas regiones de Italia los campesinos aprendieron a cultivar frutas y verduras entre una y otra saliente de roca, pero tenían una antigua tradición cultural que nos falta.

Los argentinos siempre nos hemos considerado únicos en lo bueno y en lo malo, como si no perteneciéramos al conjunto del universo y nos moviéramos en una cápsula espacial. El mundo advirtió nuestro aislamiento y nos aisló aún más. Desde hace treinta años ningún país del mundo cambia nuestra moneda, pero como tenemos que vivir con ella nos esforzamos por multiplicarla a marchas forzadas, y el esfuerzo es tan desmedido que sufre de infartos y colapsos.

¿Qué hacer entonces? No tengo remedios mágicos, pero sé que hemos heredado una situación gravísima, que el Gobierno se equivocó, perdió un año y medio. El Presidente lo reconoció patéticamente desde el balcón de la Casa Rosada sin importarle ya el costo político de esta confesión. También sé que debo tener unos puntos menos, pero no colocar ni un centavo sin el respaldo del Banco Central y no debo querer dar pasos demasiado largos para mis piernas. Sé que debo trabajar, pero no ignoro que no hay trabajo ¡o hay tan poco! estamos en un bote que hace agua; pero en vez de achicarla como todos los náufragos, cada cual se apodera de un taladro para que el barco se hunda más de prisa. ¿Qué ganará con eso? Nada. ¿Cómo nada? Habrá logrado perjudicar a otros, y eso ya es un triunfo en el espíritu de muchos argentinos. Pero a fuerza de enjabonar el piso para los demás resbalamos también nosotros. Quiebra un banco, se enumera y se menciona a los que están por quebrar. La gente siembra el pánico y el pánico se apodera de la gente en un círculo vicioso. Vivimos rodeados de pronósticos sombríos.

En realidad, ¿qué quiere el argentino medio? ¿Una revolución? ¿No aborrece acaso al ejército sin siquiera discriminar? Pero no nos engañemos; tampoco quiere a ningún civil si ha logrado una posición expectable, porque la envidia es el mal endémico de los habitantes de esta tierra. No quiero caer en ella, pero considero que uno de los pasos que podría dar el Gobierno sería eliminar ese despliegue inútil de representantes en el servicio exterior, un país en bancarrota no tiene por qué regalar cargos a sus afiliados, sobre todo si ni siquiera tienen la elegancia de responderle. Francia limitó sus consulados a menos de la mitad, suprimió agregados y logró hacer reflotar así el maltrecho franco. Aquí se vacila antes de tomar medidas drásticas y nada hay tan peligroso como vacilar ante un peligro.

El otro riesgo, el más grave, es convertir a un país de productores en un país de especuladores y a un país de especuladores en un país de usureros; porque el usurero no toma recaudos, exprime a su deudor hasta asfixiarlo, y en el caso de la Argentina asfixiar al campo y a la industria es matar al país. Ninguna empresa puede pagar los intereses usurarios que pretenden los prestamistas salvo si está al borde de la quiebra y cree detenerla con esa última audacia. Se equivoca: por eso estamos cayendo todos juntos.

Entre las industrias que andan mal están las casas editoras. Por lo tanto, los escritores. Por eso, cuando una pareja que acaba de pagar diez mil pesos para comer un bife en un restaurante y se me acerca para alabarme pero agrega que "no compró mis últimos libros porque los libros están muy caros", no comprende que reciba sus halagos con sequedad: si hubieran comido ese mismo bife en su casa, podrían haber comprado con la diferencia dos libros.

Movernos en medio de semejantes contradicciones es difícil, al menos resulta difícil hacerlo bien; tropezamos, somos torpes, nos golpeamos el pecho y buscamos por todos lados chivos emisarios. Si fuéramos sinceros y lúcidos sabríamos que cuando nos decían que todos éramos culpables cometían una injusticia pero que día tras día cada uno de nosotros está volviéndose más culpable y poniendo menos el hombro a la democracia, al país y convirtiéndose en un enemigo de sí mismo y, por ende, de todos los demás.

La ingratitud de los argentinos

Los argentinos pasamos gran parte de nuestro tiempo enumerando nuestros defectos sin pensar que el mayor de ellos es justamente haber decidido vivir a la altura de nuestros defectos, en vez de vivir a la altura de nuestras cualidades.

Esto viene a cuento porque hace una o dos semanas me llamó alborozado el contador de una sucursal del Banco Ciudad de Buenos Aires para comunicarme que la pensión al Primer Premio Municipal había ascendido a la respetable suma de un sueldo mínimo. Inmediatamente quise dar la buena nueva a varios colegas. Todos estaban enterados pero ninguno lo había participado ni comentado. Por supuesto que veinte mil pesos no es una suma espectacular y no me referiría a ella si no hubiéramos dedicado tanto tiempo y tanta tinta en protestar por esos famosos cuatrocientos veinte pesos (420), exactamente, que recibíamos hasta el momento.

Quien más quien menos en parte por demostrar su indignación ante las tristes condiciones de vida del escritor argentino, en parte para probar su ingenio, fuimos escribiendo por turnos notas sobre esos ya legendarios cuatrocientos pesos. Resulta que un día, en los momentos financieros más aciagos del país, Pacho O'Donnell consigue que el intendente le preste atención y que esa mensualidad ridícula se convierta en una suma que permite pagar la luz, el gas y el teléfono. Todos lo saben, todos se callan. Yo pensé que esta conspiración de silencio se debía a una orden superior, no fuera a ser que los obreros protestaran, que otros jubilados hicieran oír sus voces airadas, vaya a saber qué otros motivos obligaban a callar la natural gratitud que deberíamos experimentar hacia el intendente y el secretario de Cultura de la Municipalidad.

Hace pocos días me encontraba frente a O'Donnell en una larga mesa de la Embajada de los Estados Unidos, durante una comida ofrecida a la escritora Susan Sontang. Aproveché la oportunidad para preguntarle por qué ese acto de generosidad había sido silenciado y si esto emanaba de una orden superior, pues yo pensaba escribir un artículo llamado "La ingratitud de los argentinos", pero temía meter el dedo en el ventilador. Él me dijo que estaba tan sorprendido como yo por ese silencio que había acogido su esfuerzo, modesto, pero esfuerzo al fin, y ya no humillante como la ridícula suma anterior. Al salir de la Embajada, en cuanto entré a mi casa, en medio de papeles diseminados y canastos de la mudadora me senté a escribir estas líneas movida por lo que considero el deber irrenunciable de saber dar las gracias a quien ha luchado por nosotros y nos ha hecho un favor.

Pero sin lugar a duda los argentinos somos ingratos y posiblemente la pobreza acual nos ha vuelto desconfiados; como animalitos temerosos nos escondemos para comer nuestro bocado antes de que nos lo arranque otro. Así como nadie sabe pedir disculpas, a nadie le gusta agradecer. Los franceses murmuran: *je m'excuse* si se cruzan con un vecino en la escalera o en el ascensor; los americanos y los ingleses también dicen *excuse me* a cada momento, pero cuando un peatón argentino cruza la calle cuando el automovilista tiene luz verde o un conductor aprieta el acelerador ante la inminente luz roja, no sólo no pide disculpas sino que insulta a la madre de aquel que está usando su derecho y respetando las leyes de tránsito que él infringe.

El complejo de culpabilidad del argentino se traduce en un gigantesco complejo de agresividad; cuando comete un error agrede a aquel a quien ha perjudicado.

Cuando sufrimos la molestia de haber obtenido por teléfono un número equivocado, lo que significa un gasto inútil además de la incomodidad, el interlocutor nos insulta como si lo hubiéramos hecho a propósito. Cuando queremos pasar un sábado o un domingo tranquilos en nuestra casa, un supuesto lector nos llama so pretexto que nos admira, y no piensa ni por un instante que está violando la intimidad de alguien que por el hecho de ser escritor no está obligado a atender a todo los que no saben cómo llenar sus ocios.

La verdad, creo que si pensáramos más en el prójimo y menos en nosotros mismos no seríamos ni ingratos ni agresivos sin causa ni inoportunos e impertinentes.

El caso de la pensión municipal me lleva a emitir estos juicios un poco melancólicos porque lo menos que podríamos haber hecho los beneficiarios sería haberle ofrecido una comida al secretario de Cultura o haberle regalado una placa recordatoria, dado que en lo que va de marzo y de abril a nadie le queda un resquicio de tiempo libre para asistir a más recepciones, aun contando a todas las que no asistió. No olvidemos que acabamos de concurrir a una Feria del Libro que se parece más a una maratón para atletas de veinte años que para escritores maduros como lo somos todos. Cabe admitir que el curso de la vida humana parece una catarata filmada al revés por una cámara y que, a menudo, logramos honores, títulos o dinero cuando ya no nos queda tiempo para disfrutarlos. Los sudamericanos acabamos de asistir al más doloroso y espectacular ejemplo de esa realidad: me refiero a Tancredo Neves, porque la historia no ha registrado nunca un destino más patético.

Dado que sabemos que todo llega demasiado tarde agradezcamos al menos lo que podemos disfrutar durante la transitoriedad de nuestra condición de mortales. Y no callemos el nombre de nuestros benefactores porque siempre habrá un Eróstrato que, aunque le corten la lengua para que no siga clamando su identidad a los cuatro vientos nadie podrá impedir que su nombre atraviese los siglos. Callemos los nombres de nuestros enemigos pues es la mejor venganza, pero proclamemos los de aquellos que nos tienden la mano porque la ingratitud es el peor de los defectos, el que da la medida de la mezquindad y de la mediocridad de los hombres.

Un récord deprimente

Ya estamos acostumbrados y resignados a batir el récord mundial de la inflación, pero lo que me toma de sorpresa es advertir que encabezamos el récord de aspirantes a emigrar hacia tierras lejanas. El 25% de los argentinos (es decir más de siete millones y medio de los encuestados) afirman que preferirían vivir en otro país del mundo. Sería interesante saber si conocen a los países que mencionan y si han tratado alguna vez de abrirse camino allí. Leo detenidamente el informe Gallup y me entero de que el 36% de los encuestados son de ultraizquierda, lo que quiere decir en buen romance, comunistas. Pero ni uno solo de ellos ha elegido para vivir Cuba o Moscú o alguna otra ciudad de la Unión Soviética ni otro país de la Cortina de Hierro. La mayoría quiere ir a España, quizá porque el castellano es el único idioma que dominan; luego viene Estados Unidos, sin duda por ese amor al dólar tan desarrollado entre nosotros, a tal punto que una mucama le pidió a su patrona que le pagara en dólares negros. La señora se resignó a entregarle esos billetes extranjeros y la criada al verlos dijo indignada: "Ah, no, señora; yo quiero dólares negros". Ésos eran verdes y ella creía que valían menos.

Todos quisiéramos cobrar en dólares negros o blancos pero, con suerte, cobramos en pesos multicolores. Y esa dificultad de la clase media que es la que experimenta mayores deseos de emigrar es la única que debe preocupar seriamente al Gobierno así como a cada uno de nosotros. Volveré más adelante sobre este tema para intentar ayudar con algunas ideas a quienes rigen nuestro destinos a buscar la forma de que las personas cultivadas no carezcan de trabajo en la Argentina; pero antes deseo comentar otros aspectos en lo que somos injustos con nuestra tierra quizá por no conocer a fondo los problemas de los demás países. Sería conveniente señalar que en el siglo pasado los inmigrantes eran aldeanos desposeídos, y hoy, sorpresivamente, es la clase media.

Hasta 1945 nuestro país no conoció ni la devaluación ni la inflación, dos aspectos que van aparejados, pero carecía de leyes sociales. Estas leyes indispensables para todo trabajador suelen acarrear esa plaga llamada inflación. Es un círculo vicioso, pero, ¿cómo encauzarlo si día tras día diversos gremios avanzan hacia la Casa Rosada en procura de mejoras salariales? ¿De dónde suponemos que sale cada una de nuestras mejoras? Del erario, por supuesto. Entonces hay que emitir moneda envilecida y el círculo vicioso sigue hasta el infinito.

Un mínimo porcentaje consideró que el crimen y la violencia constituían nuestro peor problema. Por suerte son pocos los que ignoran que la ETA mata en un día más que en la Argentina en varias semanas y éstos por lo general en la reducida zona del país vasco. Tampoco saben que la delincuencia en los Estados Unidos es tan grave que ninguna mujer se atreve a caminar sola de noche, y en Washington algunos amigos me reprendieron porque fui a pie a la Embajada, que quedaba a trescientos metros de mi hotel. He comentado en otras oportunidades que en los edificios de Miami hay guardias armados, uniformados, provistos de un *walkie talkie*, y miran a quien entra y sale por un aparato de televisión cerrada. Para bajar de nuestro piso a la piscina debemos usar una llave y para ir de la piscina a la playa otra llave de seguridad que sólo poseen los propietarios. En París mis amigas más cuidadosas de su dinero ya no se atreven a tomar el subte al anochecer, pues para evitar los asaltos y robos en ese medio de transporte los vagones de primera clase han sido suprimidos después de las cinco de la tarde.

Vivo en Buenos Aires, República Argentina, y por supuesto mi vida no es fácil, pues sólo puede serlo para algunos poderosos de nuestra tierra y acaso de las demás tierras. Para los demás las dificultades se han igualado y desde el punto de vista estrictamente material se han agravado. Pero, ¿acaso ninguno de nosotros piensa que no hemos padecido ninguna de las dos grandes guerras mundiales?

Por supuesto los jóvenes no se remontan a épocas tan lejanas, pero yo nací durante la Primera Guerra Mundial. ¿Hubiera llegado a nacer si mis padres hubieran sido europeos? Quizás habría quedado huérfana a los dos o tres años y sin duda no habría podido ser tan bien alimentada como lo fui en este país tan mal querido actualmente por un pueblo cuya única cualidad sobresaliente fue siempre el patriotismo. También pienso que cuando estalló la Segunda Guerra Mundial yo tenía un hijo de dos años y no conocí la menor dificultad para su nutrición; pude criarlo sano, fuerte, abrigado, cobijado. ¿Qué habría sido de él y de mí en esa Alemania de la que vinieron mis bisabuelos paternos o aun en esa Francia donde se educó mi padre? Pocos años antes la guerra de España había diezmado a muchas familias por cuyas venas corre mi sangre como la de una gran mayoría de argentinos. Tampoco olvidaré jamás la miseria que presencié en Italia, las ruinas de Montecassino, el hambre de los chicos de Nápoles, el auge de la prostitución infantil para calmarla. Y creo que muchos recordarán ese filme *Roma ciudad abierta* en el que afloran dolorosamente las penurias que pasaron los italianos jaqueados por todos los bandos en lucha: por los rusos, por la Gestapo, por los aliados. Más de la mitad de nuestra población desciende de italianos, y esta tierra con todos sus defectos los salvó del holocausto.

Si creemos esta encuesta, la mayoría de los justicialistas así como de los de la extrema derecha prefieren seguir viviendo en el país. ¿No es maravilloso que dos bandos tan opuestos se encuentran en la más noble de sus conclusiones? Nos permite esperar la tan ansiada y necesaria reconstrucción nacional. Supongo que los radicales han de encontrarse a gusto en esta patria en la que como gritó mi gran amigo Zavala Ortiz al verse compulsado a abandonar la Casa Rosada: "Volveremos". Y volvieron. Él ya no estaba físicamente entre nosotros, aunque somos muchos los que no lo olvidaremos jamás; los que le dijimos el 28 de octubre: "Ahora estará contento Miguel Ángel desde ese otro mundo del que acaso nos vea".

Por lo tanto, a la luz de este examen quedan dos verdades de pie: una, que muy pocos de los que desean irse han probado suerte en otros países; otra, que nuestro problema fundamental es la falta de trabajo para las clases cultas, universitarios, intelectuales en general.

Personalmente intenté vivir en París. Me fui para huir del dolor de haber perdido al hombre a quien quise y me quiso y me arrebató la muerte. Vivía en forma acomodada, tenía auto, recorrí la Europa que conocía y la que no conocía; tuve el placer de ser invitada por Israel y poder admirar el empeño patriótico de esos hombres y mujeres que si bien disfrutaban un clima estupendo cuando en Europa nevaba y llovía, habían abandonado cos-

tumbres individualistas para luchar en los kibbut-
zim de fronteras. Un editor compró uno de mis
libros *Bodas de cristal* y más adelante compraría
Los burgueses. No me iba ni mal ni bien. Trabajaba para este diario en artículos o festivales,
traducía libros del francés al castellano, pero día a
día, minuto a minuto, sentía cada vez con más fuerza y mayor convicción interior que mi lugar no estaba allí sino aquí; que allí no me necesitaban y
aquí en cambio era necesaria no sólo por motivos
de familia sino porque cada hombre luchador es indispensable para su país. El público me respondió
sin retaceos y me alababa diariamente por la calle.

Cuando anuncié a mi panadera y a otras personas modestas que me volvía, suspiraban y me decían: "Tiene suerte, se va al país del sol". Pues lo
que más echan de menos los europeos y los argentinos radicados allí son nuestros muchos meses de
sol.

Por lo tanto, como lo dije al comenzar esta nota, lo más urgente para retener a los argentinos es
crear fuentes de trabajo para personas de alto nivel
educativo, con formación secundaria, universita-
ria, artistas, escritores, intelectuales en general. Ya
lo sé. El desafío actual es vencer esas dificultades.

El Estado dispone de cuatro canales de televisión. Hace veinticinco años yo tuve un programa en
uno de ellos. ¿Por qué hoy ningún escritor puede
trabajar en la televisión argentina? La gente adora
las conferencias, llena las salas, pero es engorroso

desplazarse por la ciudad al atardecer; además hay personas enfermas, ancianas, otras que disponen de poco tiempo. A pesar de eso las salas suelen estar casi llenas, pero el escritor tampoco se siente gratificado, pues en una época de comunicación de masas hablar para trescientas personas parece algo semejante a cuando de adolescentes recitábamos nuestros primeros versos en salones privados. No sólo los escritores sino los intelectuales en general deberían disponer de quince minutos diarios en diversos canales para dirigirse a un millón de personas.

Durante muchos años de mi vida hablé por Radio Nacional y por Radio Municipal.¿Por qué no lo hacen hoy más escritores?

Hay lugar para muy pocos, de ahí que se hable de una trenza imposible de entreabrir para encontrar un resquicio donde colarse. Los habitantes del interior fueron los más proclives al exilio quizá porque la Capital los tiene ya exiliados y postergados desde hace un siglo. Pero el destierro siempre fue el peor de los castigos.

Ocurre que la soberbia argentina es tan grande que muchos se han dejado convencer por quienes les afirman que somos bienvenidos en todas partes.

Que vayan a pedir una visa de estadía a Estados Unidos, Venezuela, Francia, Canadá, etc... y se enterarán hasta qué punto sobramos en todos lados menos aquí. Pues a trabajar entonces y a pedirle al Gobierno que abra las puertas de los canales de televisión, de las radios, de los teatros donde pueden encontrar aliciente y dinero tantos decoradores, actores, bailarines, pintores. Esos millones de argentinos que desean irse son por lo general personas valiosas que no saben cómo ganarse aquí la vida.

Esto puede y debe ser remediado, si no totalmente, en forma parcial. Porque en ningún otro país podrán tampoco abrirse camino fácilmente, pero como argentinos tienen derecho a que los ayuden a abrírselo aquí. No debemos oír más a jóvenes que al terminar la secundaria nos dicen: "¿Para que voy a estudiar... para manejar un taxi?" Eso es transitorio y anecdótico. En todas las carreras hay triunfadores y fracasados, en la vida también los hay.

¿Quién nos impide servir para varias cosas? Sólo nuestra haraganería, porque es como si yo dijera que no sé preparar una comida o hacer brillar los cubiertos porque soy escritora. También pude parir y criar a mi hijo. También pude formar "La Guapeada", mi tambo en Oliden, y encuadernar, y cuidar a mis ancianos y a mis enfermos.

Basta de debilidades y de niñerías. San Martín no cruzó los Andes en su fogoso caballo blanco sino escupiendo sangre y llevado en angarillas. Mitre, Sarmiento, Paz, se foguearon exponiendo el pellejo y no sólo fueron grandes militares sino grandes escritores. ¿Qué quieren los argentinos de hoy? ¿Una alfombra roja a lo largo de toda su existencia? Los franceses dicen siempre: *La vie n'est pas une partie de plaisir*. O sea que no es un almuerzo al aire libre bajo árboles frondosos junto a un arroyo cristalino. La vida es esto que hoy no les gusta y cosas mucho peores que espero no conozcan jamás. Vivir es luchar y desde la adolescencia vivir es elegir, es equivocarse a veces, acertar otras veces. Vivir es un arduo castigo que comienza con la dificultad de emerger del vientre de nuestra madre, y todos tenemos la posibilidad de morir ahogados por el cordón umbilical.

En cualquier punto del mundo en que recalemos, vivir será elegir, triunfar y fracasar, sufrir y gozar, aunque debemos insistir sin tregua ante nuestros gobernantes para que nos abran fuentes de trabajo, pues para encontrar fuentes de placer sabremos arreglárnoslas solos. Sin embargo la única posibilidad de que los argentinos tengamos trabajo, pan y educación será el resultado del desarrollo energético así como de las demás obras públicas.

*La grandiosa epopeya del Cono Sur
en ''Los pioneros'',
de Enrique Campos Menéndez*

Hispanoamérica no parece haber tenido una vocación muy acendrada de transmitir a la posteridad los infinitos capítulos de la epopeya de su creación. En el colegio Onésimo Leguizamón, donde cursé hasta sexto grado, ninguna maestra se esforzó por demostrarnos que San Martín era un gigante visionario y sólo descubrí su verdadera grandeza cuando me sumergí en su historia escrita por Mitre. Lo mismo me ocurrió con casi todos nuestros héroes militares, los conocí a través de la historia de Belgrano, también de Mitre, por el diario del general Paz, por Sarmiento, y, como escritor sin connotaciones militares ni actuación política, por Lugones. Las generaciones que siguieron no se interesaron en reconstruir la liberación de los pueblos, la guerra gaucha en diversos aspectos, ni la Campaña del Desierto. Entre ellos estamos nosotros, los que fuimos educados mirando hacia Europa, hasta que a los dieciocho años, Manuel Gálvez y un joven escritor entonces casi desconocido llamado Eduardo Mallea nos advirtieron que dejáramos de mirar el río, porque teníamos un inmenso país que iba hacia tierra adentro.

No obstante, relatar epopeyas no parece atraer al escritor argentino. En Brasil lo hizo Guimarães Rosa con *Gran Sertão Vereda,* pero aquí la novela fue intimista, confidencial, con relentes nostálgicos de adolescencias transcurridas en galerías de casas de estancias coloniales o, de lo contrario, bruscamente volcada hacia la actualidad cada día más sombría y más dominante.

Tampoco recuerdo, por olvido o por ignorancia, otras vastas epopeyas narradas por un chileno o por un peruano, salvo los libros de Flora Tristán, sobre quien escribí hace dos años: con sus ojos de francesa supo ver lo insólito del Perú colonial.

Hoy un chileno que pasó la mayor parte de su vida en la Argentina nos ofrece por fin la epopeya de los primeros pobladores de Punta Arenas. Confieso que al enfrentarme con esos tres gruesos volúmenes de más de cuatrocientas páginas cada uno me dije que los hojearía para tener una idea de lo que se trataba y poder agradecérselos a su autor. El trajín de la vida de Buenos Aires me impedía abocarme a una lectura de mil doscientas páginas y me los llevé para leerlos en las vacaciones. Hoy tengo que confesar que debo a la lectura de *Los pioneros** las horas más felices del pasado verano.

La primera parte es, según afirma la familia, la que menos relación tiene con la realidad. Transcurre en un barco llamado el *Olimpia,* donde, como es corriente, hay primera, segunda y tercera clase.

* Edición del autor 1984.

Así vamos conociendo a cada uno de estos inmigrantes que por diversos motivos se han alejado de su Europa natal y aspiran a poblar el nuevo mundo. Estamos a mediados del siglo diecinueve. Inventado o real, el lector ve que, por culpa de un oficial indigno, la magnífica nave se estrella en plena noche contra los acantilados en medio de un mar embravecido. Esto puede parecerse a otras novela y películas apasionantes —los botes que se vuelcan, los hombres que empujan a la mujeres para salvarse, los cobardes, los héroes, los inútiles, los capaces—. Al considerarlo así podríamos decir que un naufragio es como la imagen de la vida. Pero Campos Menéndez salvó a todos aquellos que iban a ser los pobladores esforzados de Punta Arenas, entre ellos a un modesto inmigrante, José Fernández, cuyos ribetes pueden ser los de ese gran poblador que fue José Menéndez.

Al llegar a este punto me pregunto cuál de estos volúmenes es el más apasionante y no puedo decidirlo, porque con gran sabiduría el autor puso en cada uno la misma dosis de esperanza, de suspenso y de tragedia.

En el segundo tomo, cuando ya nos hemos familiarizado con el frío del Sur, las casas acogedoras y el empuje de los pobladores, estalla el monstruoso motín de los artilleros. No podemos creer tremenda barbarie, que parece cometida por locos furiosos. Esas casitas de madera que ya han sido enjoyadas con muebles traídos de Londres o fabricados con amor en Punta Arenas por artesanos amistosos, con la porcelanas, la vajilla importada, el piano cuya llegada regocijó a todos, arden como teas junto con la ropa y con los cadáveres mutilados de quienes intentaron defender al pueblo.

José Fernández está ausente y no puede creer a sus ojos cuando ve a su regreso las ruinas del pueblo, su hija menor muerta, su mujer con una pierna gangrenosa que hay que amputar. No se amedrenta ni piensa en volver a su Asturias natal: ha venido aquí a quedarse, a progresar, a trabajar, a luchar, a enriquecerse, a formar una familia y un pueblo. Todo consiste en volver a empezar.

Aunque sólo se trate de una novela sabemos que se basa sobre una realidad histórica que debemos aceptar como una lección admirable, nosotros, los que no nos resignamos a privarnos de nada, a reconstruir nada, a abocarnos a un arduo presente de trabajo para dejar a nuestros hijos un próspero futuro. Ese tomo se llama *Tierras malditas,* nombre que podría llevar toda América latina, pues como decía Pérez de Ayala comiendo en casa de mi padre. "En este país hay que volver a empezar todos los días, se edifica en la arena; de noche viene el mar, se lo lleva todo y vuelta a empezar". ¿Es la maldición del indio traicionado por todos los blancos, principalmente por Hernán Cortés? No lo sé, pero los Estados Unidos tampoco fueron suaves con los indios y hoy son la primera potencia mundial.

Aquí entro en el capítulo del indio que es el *leitmotiv* del tercer tomo. En verdad, el autor penetra en este terreno con pie de plomo. Quiere defender a José Fernández de la acusación de haber exterminado a los indios, aunque antes de esto es secuestrado y torturado por un grupo de ellos, que pretenden apoderarse de sus estancias, pero luego, en una recorrida que hace con el doctor Hilton, otro naufragio del *Olimpia*, se habla del tema y se aclara que el indio muere por enfermedades contraídas del hombre blanco cuyas defensas no posee, por el alcohol que le proporcionan algunos para embaucarlo y por infinitos motivos que le impiden adaptarse a la civilización. En este final se toca también un tema siempre candente: el de los préstamos de los bancos europeos que al fin se han convencido de que hay que confiar no sólo en el patrimonio material, sino en el valor hombre-trabajo del cual nacieron Magallanes, Punta Arenas y Tierra del Fuego.

Este comentario tiene que ser lineal, pues llevaría demasiado espacio describir a los diversos náufragos del *Olimpia*, sus caracteres bien definidos, sus personalidades, sus oficios, y el papel protagónico que cada cual ocupa en el libro, como lo hizo en la vida. Hombres y mujeres fuertes, sin miedo a la vida ni a la lucha, con alma de pioneros, es decir, de constructores de un futuro que ya llegó confirmando todas las esperanzas de esos admirables visionarios.

Chile puede jactarse de deberle esta descripción de una epopeya a Enrique Campos Menéndez y nosotros, los argentinos, también debemos hacerla nuestra, pues grandes extensiones pobladas por José Menéndez están en nuestro territorio. Ojalá las nuevas generaciones de ambos países encuentren en estas páginas el aliento necesario para ir a poblar el Sur antes de que caiga en manos de diversas potencias que tienen el ojo puesto en ellas, como la desdichada historia reciente lo ha probado. Nuestras gélidas tierras del Sur son presas codiciadas por motivos geográficos y estratégicos. Ya los argentinos lo sabemos y la misión de los jóvenes de hoy es ser pioneros en vez de empleados públicos que claman y gimen por aumentos de sueldos, cuando tienen a su alcance un inmenso territorio que los espera para hacerlos ricos y para que enriquezcan al país.

La caída de la estantería

Nadie puede permanecer indiferente ante las necesidades vitales del obrero con un jornal básico, del jubilado con una jubilación mínima, del empleado de ínfima categoría y aún menos del vasto número de desocupados que crece no sólo en la Argentina sino en todo los países del mundo.

Vivir es una ardua tarea que nos ha sido conferida a todos, sin que ninguno la pidiera. Sin embargo, creo que una vez superadas las dificultades iniciales a las que me he referido, aquellos que pueden proporcionar a su familia una vivienda digna y los alimentos necesarios, además por supuesto de una cuota necesaria para vestimenta y educación, deberían agradecer al destino estos magros dones y empeñarse por no perderlos, pues la miseria es el peor de los castigos y quien se empeña en arrastrar a los demás en su caída por eso de "mal de muchos consuelo de tontos" está cometiendo un crimen de lesa humanidad.

Sin embargo, dado que ese mal de muchos consuela a tontos y a inteligentes, pues el espíritu gregario en las dificultades es propio de la condición humana, así como lo es el egoísmo y el individualismo en la opulencia, creo que habría que llamar a la realidad a quienes hacen tambalear esta frágil balsa en la que nos encontramos todos.

Hace ya muchos años nos enteramos de que "el comunismo" empleado como nivelación por lo bajo ganaría sus batallas sin necesidad de pegar un solo tiro. Y en verdad las ganó.

El mundo ha cambiado, pero los trabajadores manuales se equivocan y siembran la confusión cuando nos dicen que ha cambiado en detrimento de ellos. El trabajador intelectual encontró una mina de oro transitoria cuando comenzó la caprichosa era del "best seller". Nadie se detiene a reflexionar que el libro mejor vendido en un país despoblado, donde abundan los analfabetos, sería el peor vendido en Estados Unidos, donde casi todos sus habitantes saben leer y escribir. Aún así bendigo nuestra corta era de oro, pues el poder adquisitivo de las personas con amor a la lectura les permitía acceder a la compra de un libro. La clase media argentina nos dio el espaldarazo a quienes no tuvimos que suicidarnos en medio de dificultades económicas como Alfonsina Storni, o en medio de la estrechez y de la amargura de un Leopoldo Lugones. Todo lo que no nos dieron los gobiernos nos lo dio nuestro pueblo. Y a él y sólo a él le debo mi bienestar actual.

Pero la pobreza cayó como un hongo atómico sobre toda la población de la Argentina. Los científicos carecen de instrumental y de laboratorios adecuados, cualquier profesional se debate para vivir con decoro en un margen estrecho, algunos se van aunque el mundo está limitando la admisión de quienes no aportan capitales o títulos sobresalientes en disciplinas poco frecuentadas. Lo cierto es que ese duro oficio de vivir al que me he referido no es patrimonio de los obreros manuales, de quienes se titulan "los trabajadores", como si los demás nos dedicáramos a jugar al golf.

Hace tres años escribí un libro sobre la vida de Flora T. Tristán, la primera mujer socialista, basándome en sus memorias y en su diario de la recorrida por la Francia obrera. La existencia de esos trabajadores mal pagos, inclinados catorce horas diarias sobre sus fraguas o sus telares, hace estremecer al más insensible. Ni protección social de ninguna especie, ni jubilación, ni atención médica, ni seguridad en el empleo; como condenados a trabajos forzados el que caía sólo podía esperar la clemencia de una muerte rápida, pues era reemplazado por otro más joven y sano que, a la larga, sufriría la misma suerte. Era la época de la insensibilidad social. Pero hoy, declamen lo que declamen los trabajadores, la insensibilidad social no tiene cabida en nuestro gobierno y creo que en ningún otro gobierno del mundo civilizado.

La escalera de injusticias sociales, o más exactamente de injusticias humanas, es infinita. Yo no conozco los peldaños más bajos, no tengo la menor idea de cómo puede sentirse uno cuando está en lo más alto. Sé que los multimillonarios sólo tienden la mano a su corte de aduladores cualesquiera que sean las obras de beneficiencia que el mundo y la patria de cada uno de ellos les deba.

Para volver al tema fundamental de esta nota, creo necesario ir estudiando los cambios sociales que fueron elevando la condición del obrero del siglo diecinueve hasta la más humana de principios del siglo veinte.

Lo cierto es que mientras las llamadas "oligarquías" fueron viendo cómo caían año tras año, casi mes tras mes, sus prerrogativas, los obreros y los asalariados lograron conquistas que ningún gobernante se atrevió jamás a retacearles. Creo, no obstante, que los cabecillas de algunos grupos obreros, generalmente cultos y bien informados, se conducen en forma poco racional, al hacerles creer a sus afiliados que están sufriendo una injusticia discriminatoria.

No es así, al menos en la Argentina actual. Todos soportamos privaciones. Profesionales abnegados se apretujan en un departamento de dos dormitorios con cuatro hijos. Cada cual vacila antes de comprarse un vestido nuevo, un objeto superfluo. La revolución nivelando por lo bajo ya nos ha alcanzado, convertida en una evolución lenta pero implacable y gracias a eso menos dolorosa.

No considero inteligente decretar paros en un país parado; todos deberíamos esforzarnos por ponerlo en marcha, porque todo país tiene remedio, salvo si queremos hacerlo andar a bastonazos.

Creo, en resumen, que el argentino actual está viviendo una etapa difícil de soportar y de superar, pero no imposible de soportar ni imposible de superar si no exigimos, como chicos caprichosos, que un auto destartalado nos permita correr en Fórmula 1. Debemos aprender a vivir con nuestras carencias e intentar por todos los medios que sean momentáneas, pero no caer en la queja continua ni en la exigencia que sabemos inútil.

Estamos frente a una realidad cruda y desagradable. Nadie pretende esconderla ni disimularla, pero si algo puede servir de consuelo a los que no están verdaderamente desposeídos es el espectáculo de la declinación del nivel de vida en general.

No debemos empeñarnos en poner nombre y apellido a los culpables de nuestras dificultades. Es imposible detener el avance de una civilización niveladora y aplanadora; sería como empeñarse en que la Tierra no girara más alrededor del Sol.

Nadie elige el ambiente en que nace, tampoco elige su color de piel ni su sexo. Yo hubiera querido ser hombre, en realidad nunca me resigné a esta terrible inferioridad que significa ser mujer y reivindicar a diario que valgo tanto como un hombre, así como el obrero reivindica a diario que vale tanto como un capitalista. Desgasta demasiado tener que probarlo durante toda la vida; resignémonos a obligar al prójimo a admitir nuestra superioridad con una actitud y una obra que obliguen a bajar la cabeza, pero no con desplantes ni reivindicaciones porque "la razón del más fuerte es siempre la mejor".

El tedio de vivir para el presente

Cuando he leído libros escritos durante la guerra o después de la guerra comprendí que no hay peor horror que vivir en el presente. Desde el patético e inolvidable diario de Ana Frank hasta *Journal à Quatre Mains*, de Benoîte y Flora Groult, pasando por *Le Silence de la Mer*, de Vercors, en el que se advertía el amor encarnizado por Francia que a mi modo de ver fue uno de los motivos de las dos conflagraciones mundiales, lo que más me impresionó es que ninguno de ellos podía recordar vívidamente su pasado ni encarar su futuro.

El presente los devoraba porque era avasallador y no permitía que ningún resquicio de la sensibilidad se vertiera hacia el recuerdo de los tiempos mejores ni hacia la esperanza.

Los argentinos de hoy estamos sumidos en un sopor semejante. Cada mañana sentimos que el día de hoy está destinado a sorbernos sin piedad como una enorme ventosa colocada sobre nuestra vida. Las preocupaciones cotidianas se asemejan a las de los tiempos de guerra. Sólo los muy jóvenes, si están entre los privilegiados que aún pueden disfrutar de algunas alegrías, logran zafarse de esa gigantesca tela de araña que la actualidad ha ido tejiendo alrededor de ellos.

El amor, el sexo, la fiesta de cumpleaños, la preparación del ajuar o el hijo a punto de nacer se imponen necesariamente con más fuerza que la hecatombe, pero las personas adultas sin una suerte excepcional nos sentimos hundidas en el presente como un cangrejal que entorpece nuestros movimientos, nos traga en forma inexorable sin la lógica continuidad de un futuro más luminoso.

Siempre tengo junto a mi cama, cerca de la mesa de noche, otra mesita en la que amontono los ocho o diez libros que pienso empezar a leer durante la semana. Son un misterio que me será dado descifrar o me traerán el olvido completo de mis preocupaciones, la distracción necesaria al final de la jornada, a veces alguna enseñanza y en el peor de los casos un rato de tedio que me obliga a desechar ese volumen para enfrascarme en otro. La medida de mis preocupaciones me la da el hecho de haber leído tres o cuatro páginas casi sin advertir que no retenía nada. Entonces vuelvo a empezar y comprendo que el libro no carece de interés; que la que no puede concentrarse soy yo. Yo que estoy viviendo en una "economía de guerra", lo que significa algo semejante a una guerra fría, incruenta, sin grandeza en una retaguardia donde día a día aumentan las privaciones pero aún no se vislumbran las esperanzas.

He notado que en estos casos de crisis grave la gente, por un fenómeno difícil de explicar, no quiere aferrarse a ninguna esperanza. Cada cual se siente más cómodo con alguien retobado, que se queja, que rezonga, que con quien ve el lado positivo de las cosas.

No soy una excepción y me desespero con facilidad.

Sería interesante que un psicólogo nos desentrañara las causas de ese negativismo, nihilismo, pesimismo, fatalismo que nos embarga en momentos como el que estamos pasando. Según tengo entendido, la pasividad con restricciones es más difícil de soportar que los grandes dolores. Al parecer se suicidaron menos personas en los campos de concentración que en las ciudades ocupadas en las que el hastío por tener que conseguir bonos para alimentos, ropa, velas, llevaba a una parálisis, a una negación de seguir aceptando ese estado de cosas y de allí al suicidio. Los más valientes, los que aún tenían fuerzas y salud para hacerlo, se escapaban para unirse a la resistencia. Pero por supuesto al comentar esto me refiero a una guerra no a un estado de paz en el que se descubre de pronto que la vida es más difícil de lo que se creía. Luchar está bien, ¿pero hasta cuándo y con qué resultados? ¿Y cuál es el plazo de esos resultados posibles? Allí la mente se nubla y, como lo he dicho al comenzar, nadie imagina un futuro. Está enclavado en el presente como una estaca en la tierra.

Lo peor cuando las cosas llegan a este punto es que nos embarga la desconfianza en nosotros mismos. Nos hemos equivocado. Somos unos fracasados. Hemos vendido mal, hemos comprado mal, hemos cambiado dólares el día antes de la devaluación. Y que los plazos fijos y que los Bonex y cómo no saqué mi plata del banco y por qué me apresuré en pagar... Cada cual se golpea el pecho aunque deberíamos saber que somos las víctimas de una serie de circunstancias que vienen de muy lejos, en muchos casos antes de que los individuos que se culpan por sus errores hubieran nacido. La natural tendencia humana a jactarse de sus aciertos se transforma en esa especie de suicidio que es agigantar los errores y subirse con más fuerza en ese presente transitorio, una noche oscura, en la cual aún no divisamos alguna luz que acaso esté a poca distancia pero oculta por los árboles o por la niebla.

Tal vez dejando la política de lado el mejor consuelo que podemos darnos unos a otros en estos momentos es tratar de recordar lo que hemos disfrutado en el pasado, en nuestra juventud, en los viajes, en el milagro de un gran amor, en la calidez de la mesa de nuestros padres cuando éramos muchos y sabíamos querernos. Y recordar también el deslumbramiento conocido al leer *Adolphe*, de Benjamín Constant, que contradice la aseveración del brillante Vargas Llosa cuando afirma que "las grandes novelas son novelas grandes" porque también están *Pedro Páramo*, de Rulfo, *Los de abajo*,

124

de Mariano Azuela, *Don Segundo Sombra*, de Güiraldes, y tantos otros relatos inolvidables.

Es mucho más fácil saltar del pasado al porvenir que hacerlo desde el presente. Porque el pasado no es un manto gris que nos sofoca sino la sucesión de los mejores recuerdos, pues si bien la tendencia natural del hombre es agrandar el disgusto actual también lo es agigantar la dicha de lo que quedó atrás.

¿Por qué si milagrosamente pude llegar al Japón, a Israel, a Panamá, a Holanda e infinidad de veces a París, a Roma, a Capri, a Venecia, a Madrid, a Montecarlo, para citar algunos países que me invitaron generosamente, va a negarme el futuro otra ciudad, otras playas, otros días de bonanza y de sol? ¿Por qué a tantos jóvenes va a negarles la vida lo que ha distribuido generosamente entre quienes lucharon para ganarse un lugar en el mundo?

Pero por supuesto hay que ganarlo. Si nos quedamos rumiando sobre nuestro difícil presente perderemos las dichas que nos tenía reservadas el porvenir. En realidad digo "nos" como un eufemismo pues pienso más bien en los jóvenes desesperanzados no en mí que tengo mucho que agradecerle a la vida pero puedo afirmar que nada me ha sido dado sin trabajo ni sin esfuerzo; para ser exacta, sin un trabajo continuo casi titánico y un esfuerzo a menudo agotador sembrado de injusticias, reveses y fracasos. Los demás ven el éxito y la sonrisa entre los "flashes", yo conozco mis lágrimas y mis desalientos.

Días grises y sórdidos envueltos en cifras, precios, salarios, miedo a la vida, pánico, mediocridad y desaliento. Eso es lo que nos legaron sucesivos gobernantes inconscientes y el temor de afrontar esta realidad tan poco alentadora demoró las decisiones del gobierno actual. Pongámonos en su lugar. Ser elegido en medio de una alegría estruendosa y esperanzas infantiles y advertir que no tiene caramelos para repartir sino guijarros dolorosos y le guste o no hay que arrojárselos a la cara a una muchedumbre que lo ha votado y festejó el advenimiento de la democracia como si llegara un mago con una varita mágica. Sólo llegaban hombres de buena voluntad que día a día se aterraban ante la profundidad del precipicio que se abría bajo sus pies. La democracia es una forma de gobierno, la mejor sin duda, pero no tiene en su poder una alquimia que transforme el plomo en oro. Y este pueblo tan candoroso, tan infantil en las exteriorizaciones de su alegría, es en parte el culpable de que el Gobierno haya demorado más de lo necesario en tomar decisiones drásticas. Es atroz decepcionar a nuestros adoradores, a quienes confían en nosotros, todos lo sabemos. Pero lo que no supimos, salvo algunos de nosotros, fue criticar la acción de gobierno a tiempo, en vez de seguir festejando su éxito como si festejáramos otro mundial de fútbol. También recuerdo que hace alrededor de un año algunos de quienes rodean al Presidente se indignaban ante la menor crítica constructiva. Así fueron sumándose los malentendidos que nos han hecho llegar a estos días aciagos y desconcertantes. Cuando yo escribí en este diario "Trabajamos pero no producimos", el doctor Tróccoli y el doctor Pugliese me trataron sin benevolencia en vez de comprender que era un solidario llamado de atención.

Ya de nada sirve mirar hacia atrás pero al menos miremos hacia adelante, tratemos de sacar fuerzas de flaqueza y de construir con los magros elementos que tenemos a mano. Pero el Gobierno debe ayudarnos no sólo con su honestidad sino con una austeridad que por desgracia no ha demostrado hasta ahora. Hay que terminar con las canonjías a los amigos, sobre todo cuando se pagan en dólares que no tenemos.

Apretarse el cinturón, de acuerdo, pero todos, sin una sola excepción, sencillamente porque no hay otra manera de salvar al país y de evitar un baño de sangre.

Gardel es el tango

Un gran escritor del que me precio de ser amiga comentó en un artículo de este diario que decir "Gardel cada día canta mejor" es el producto de nuestro defecto de mirar hacia atrás. Disiento con él, pues aunque no tengo nada de la mujer de Loth, al mirar mi largo pasado y mi reducidísimo porvenir me cuento entre los que consideran que Gardel cada día canta mejor. En primer lugar porque es una frase ingeniosa, digna de la época en que los porteños sabían que el ingenio es algo más que emplear palabrotas a troche y moche como si cualquier chico de escuela primaria no pudiera hacerlo igual o mejor que el actor jugosamente pagado, y luego, porque hay valores que se afianzan y crecen con el tiempo. Decir que Van Gogh cada vez pinta mejor es una realidad: su época no lo comprendió, lo dejó morir de hambre y la posteridad lo descubre día a día con más pasión.

Fui a oír a Gardel por primera vez al Gran Splendid teniendo yo apenas doce años. Me subyugó pero por supuesto no tenía edad para medir las posibilidades ilimitadas de su voz con la cual jugaba como un prestidigitador con infinidad de objetos que recoge al vuelo en una continua armonía de ademanes imprevisibles. A lo largo de los años después de oír a casi todos los cantores del mundo me sorprenden los acordes de esa voz sin tropiezos, la capacidad de manejarla sin acercarse nunca al límite, de juntarla con la frase siguiente; acordes casi mágicos haciendo del tango lo que es ahora: un milagro en medio de la canción mundial.

Gardel parecía no tener necesidad de respirar o estar dotado de una capacidad respiratoria superior a la de cualquier tenor, era un cristal que nunca se quebraba y, lo que resulta difícil en medio de tanta perfección, transmitía la profundidad desgarradora de la letra que parecía haber nacido pegada a la música como dos siameses. Hubo otros grandes después de él. Aunque sería largo mencionarlos es obvio detenerse en Hugo del Carril que es el que más se le ha acercado pero cuando después de oírlo apasionadamente volvemos a oír a Gardel decretamos que canta mejor.

Siempre fui una apasionada del tango. Incluso desafío a cualquiera si se trata de recordar letras de todas las épocas. Considero que no hemos hecho nada más valedero, más universal, más ingenioso, más descriptivo que nuestros tangos. Cada uno de ellos es toda una historia que cabe en un tiempo mucho más reducido que el de un cuento. En el tango entran el pasado, el presente, el porvenir, la descripción de un ambiente, de un estado de ánimo, de ese fatalismo resignado de los argentinos que se asemeja al de los árabes. Nos parece lógico que todo salga mal, que el amor termine en la traición y en el recuerdo amargo, que la pobreza y el fracaso vayan de la mano de los hombres. Da la impresión de que el dinero fue siempre ganado sin grandeza gracias al juego, a la prostitución, al renunciamiento de los ideales y de los afectos. Es una actitud nada constructiva y por añadidura falsa pero natural en aquellos que ganan a diario laboriosamente y sin vocación el pan de cada día. Y el tango es la expresión de los humildes, de los inmigrantes orilleros, de hombres y mujeres de mala vida, de los cuchilleros, de "las minas", del "bulín", de la pieza de conventillo, del arrabal.

Gardel no obstante supo prestarle una hombría y un tono universal debido a las modulaciones excepcionales de su voz. Nada es sórdido cuando lo subjetivo se convierte en un hecho objetivo por la milagrosa transmutación de lo cotidiano en una obra de arte. Cuando Mimí canta en su bohardilla, cuando Van Gogh pinta oscuros mineros comiendo papas hervidas, la grandeza de la obra supera la sordidez del trasfondo. El fenómeno Gardel es el de alguien dotado por una naturaleza para transmitir patéticos mensajes.

No sé si exagero al decir que el tango sobrevive gracias a Gardel. La juventud intentó alejarse de esa expresión tan porteña y replegarse en ritmos importados pero el resto del mundo le probó que se equivocaba al renegar de algo que superaba las modas y cruzaba las fronteras cosa nada corriente para las creaciones de este lugar tan alejado de los centros civilizados de la Tierra. El tango fue la única moda que exportó la Argentina. Mucho después comenzaron a triunfar algunos escritores y algunos pintores pero ellos estaban influenciados por Europa, no Europa por ellos.

El destino al segar en plena juventud, trágicamente, la vida del famoso zorzal acrecentó aún más su fama y lo convirtió en leyenda. De haber llegado a la vejez quizá su voz hubiera perdido esas modulaciones milagrosas a las que me he referido y como suele ocurrir él hubiera demorado en advertirlo, habría insistido en seguir cantando ya rico y famoso, pero sin resignarse al anonimato, a una vida privada lejos de las luces, de las bambalinas y de los aplausos. Cuesta retirarse. Gardel no tuvo oportunidad de aprender esa lección. Por eso nadie podrá decir jamás ''Gardel cada día canta peor'' sino que seguimos convencidos de que cada vez canta mejor y sobre ese *slogan* que es una realidad atravesó décadas y atravesará siglos sin conocer la injuria de la vejez, de la decadencia, del cansancio y del desplazamiento de los jóvenes que se abren camino sobre nuestros despojos.

Los riesgos del triunfalismo

El triunfalismo es uno de los sentimientos más peligrosos que puede anidar en una persona. Los hinchas de fútbol del mundo entero, por lo general hombres que viven más a través de sus emociones que de sus razonamientos, nos lo prueban en reiteradas oportunidades. El argentino es también excesivamente emocional y no demasiado racional, de ahí que se haya largado a la Plaza de Mayo el 2 de abril convencido de que podríamos declararle la guerra a la NATO y apoderarnos de un territorio, que un país como Inglaterra, que siempre defendió ferozmente sus colonias, iba a quedarse de brazos cruzados. Naturalmente, esa desmesurada deuda externa que hoy debemos pagar se debe en un cincuenta por ciento a esa guerra precipitada.

El presidente actual llamó al pueblo a la misma plaza y le dijo con claridad que iba a tener que soportar una economía de guerra. Pero cuando convirtió el peso en austral y le sacó tres ceros, el argentino medio no se detuvo a pensar que no le resultaría fácil vivir en un país cuya moneda vale más que el dólar o estará a la par en pocos días. En los países de moneda fuerte es muy caro vivir. Por lo tanto, nosotros debemos comprender que el costo de vida en la Argentina tendrá que ser semejante al de París, Nueva York, Ginebra o Tokio.

En ninguna de esas capitales se supone que un obrero pueda vivir con cien dólares mensuales y que una persona sola o un matrimonio de clase media acomodada pueda vivir con quinientos. Esto significa que cada cual va a tener que trabajar seriamente y usar su imaginación para ese trabajo, dado que no podrá proporcionárselo el Estado, si quiere seguir con el plan coherente que nos propone. Nadie puede suponer tampoco que la Argentina va a ser el único país de la Tierra con inflación cero, dado que los más privilegiados han logrado un 7 por ciento anual y otros como Francia un 12 por ciento. Por lo tanto, no nos enfurezcamos si esta ilusión no se logra; debemos apoyar al Gobierno, pero con sensatez sin esperar que nos regale a cada uno un árbol de Navidad.

El peligro del triunfalismo es que quienes tienen esa tendencia emocional van del optimismo más alocado al pesimismo más hondo. Ambas cosas entrañan riesgos personales y sociales. Se debe comprender que si nuestra situación se hubiera vuelto de golpe floreciente los dólares depositados en los bancos no seguirían congelados y que es mejor bajar de las nubes y poner los pies sobre la tierra en vez de crearle conflictos al Gobierno el mes próximo.

Nadie ignora que hasta el 15 de junio se emitió moneda. Nadie puede ignorar que no hay control que pueda abarcar todas las áreas de las necesidades humanas, a lo sumo se abarca los productos de primera necesidad durante un tiempo prudencial. El Gobierno está pagando valientemente un alto precio político, pero en muchos terrenos la realidad lo supera. Los alquileres es uno de ellos, dado que se puede aducir con equidad que es uno de los rubros más importantes de la canasta familiar. Pero los propietarios tienen derecho a una renta justa y el espectro de la edificación es tan vasto que si no se vuelve a edificar con un ritmo más o menos normal sufrirán arquitectos, constructores, albañiles, carpinteros, yeseros, vidrieros, decoradores, herreros, plomeros y podría seguir hasta el infinito. Por lo tanto, desalentar el alquiler es dejar un cono de sombra en la economía del país que constituye la construcción. De los libros ni hablo, pese a que la retracción de venta en ese sector perjudica a escritores, editores, libreros, distribuidores, diagramadores, imprentas, etcétera.

Sin ser una economista, temo que las tasas de interés ofrezcan pocos atractivos al ahorrista, cosa que hace peligrar la estabilidad de los bancos y por supuesto lleve al alza del dólar marginal.

Quizás una de las ventajas de este plan de gobierno sea que la gente gaste su dinero en vez de querer sacarle intereses por cada feriado coincidente con el fin de semana. Será más provechoso hacer turismo, comprarse ropa, adquirir objetos que antes representaban la posibilidad de aumentar una renta falsamente jugosa y de este modo la reactivación de la economía puede tener lugar.

Por supuesto, cualquier reflexión momentánea es también simplista, sobre todo porque el argentino está acostumbrado a los aumentos de sueldo aunque signifiquen aumento de inflación, pero es mucha la gente de mentalidad limitada. Como, por otra parte, las tarifas y servicios públicos han experimentado una gran suba, al llegar la hora de pagarlos comienzan las naturales protestas y el globo del triunfalismo comienza a desinflarse.

Quizás uno de los planes más acertados sea el del administrador de ENTEL, pues aunque la suma que deberán pagar los futuros usuarios sea abultada nadie ignora que en la actualidad hay gente que paga hasta cinco mil dólares para comprar un teléfono en forma ilegal, lo que significa que ni siquiera está seguro de poder conservarlo. De este modo, no sólo les costará la tercera parte y será legal sino que además la suma abonada les será devuelta en un plazo limitado. Cabe desear que todas las empresas del Estado propongan un plan tan coherente, pues acaso sea la mejor posibilidad de aumentar su eficiencia y de atraer capitales extranjeros ya que es de temer que el ahorro forzoso desaliente a esos capitales que eligen los países más redituables y no aquellos cuyas leyes pueden disminuir sus ganancias.

Los argentinos tenemos mil motivos para acatar una economía de austeridad y la obligación de ayudar a levantar el país, pero los extranjeros no tienen ningún motivo para colocar sus capitales en países cuyas leyes sorpresivas les hagan temer por el porvenir de sus inversiones. Exigen un máximo de garantías aunque en el mundo convulsionado actual no existe país seguro.

Lo cierto es que por algunas semanas el país estuvo de acuerdo, los adversarios dejaron de jabonarle el piso al Presidente, hubo un estado de euforia que trascendió las fronteras y el doctor Alfonsín demostró que estaba dispuesto a jugarse entero para intentar salvar al país. Esto agiganta su imagen y pone al país ante el resto del mundo en un plan de responsabilidad que parecía no tener.

Surgen aún reclamos salariales, la ocupación de alguna fábrica y el fantasma de la desocupación, que no es un problema únicamente nuestro sino mundial. Y queda, a mi modo de ver, ese riesgo del triunfalismo que hace irrumpir a los jugadores en medio de una cancha de fútbol con cadenas y botellas si no se ha logrado el gol esperado.

Debemos saber que perder es fácil y rápido, pero ganar es una tarea lenta y difícil que sólo el tiempo permite medir. Hagamos un esfuerzo para tener una mentalidad menos triunfalista y más equilibrada. Cada uno de nosotros saldrá ganando y el país también.

No deja de extrañarme que ninguno de los economistas que se refieren al milagro alemán de 1947 hayan olvidado mencionar el plan Marshall, del cual por desdicha no goza la Argentina: 8000 millones de dólares cuando esa moneda valía un 200 % más que hoy por lo menos. También Alemania tuvo la inteilgencia de pedir no un ahorro sobre dinero ya gastado sino una hora de trabajo diaria gratis para levantar el país. Ojalá se adopte esta medida, pues todos podemos hacerlo aun desde nuestra casa.

Un latino jamás podrá comprender a fondo a un sajón, por lo tanto es pueril comparar al más desordenado de los latinos, nosotros, este cóctel de razas, con un alemán que además ha sufrido el horror de una guerra sin precedentes. Por lo menos sabemos que en la próxima moriremos todos y será el fin del mundo.

Creo que en pocos países del mundo la distribución de la riqueza es tan injusta como en la Argentina. Esto se debe a su inmensa extensión despoblada. Sería deseable que el Gobierno, que demuestra haber tomado las riendas en mano con energía, distribuyera entre los jóvenes matrimonios tierras fiscales y los alejara de las luces mortecinas de la capital más triste de la Tierra. Aceptar este desafío sería la respuesta adecuada a las medidas actuales, no un triunfalismo pueril porque baja la carne que necesitamos exportar y podemos comer tres veces por semana sin ser unos desposeídos. No advertimos que sube la electricidad y no estamos dispuestos a trepar varios pisos a pie ni a alumbrarnos con velas. Huelgan los ejemplos. Seamos lúcidos: no es tanto pedir.

Francia, símbolo
de libertad y de cultura

Hace cuarenta años solíamos discutir alegremente con Borges y eventualmente con Bioy Casares y Silvina Ocampo si podríamos imaginarnos el mundo sin tal o cual escritor. Ellos no podían imaginarlo o soportarlo sin Poe o sin De Quincey, yo no podía imaginarlo sin Baudelaire y sin Victor Hugo. Hoy, con el egocentrismo que trae la edad madura, supongo que ninguno de nosotros imagina el mundo sin nuestra preciosa presencia; pero no hago culpables a los demás de estas reflexiones que sólo a mí me pertenecen.

En la actualidad si me preguntaran en términos más amplios sin qué país pudiera imaginar un mundo insoportable diría sin vacilar: sin Francia. Creo que millones de voces en los distintos puntos cardinales repetirían las mismas palabras.

Fui criada en el amor a Francia. Un amor tan desmedido, tan incondicional que no supuse siquiera que no había el menor motivo para ser correspondida en esa pasión sin límites. Emergí de los pañales cantando cantos guerreros según los cuales nada igualaba la crueldad de los alemanes, sus "crímenes feroces" en los cuales por poco se afirmaba que se comían a los chicos crudos. En la guerra siguiente hicieron eso y mucho más, pero no creo que en casa hubiera una bola de cristal sino simplemente la falta de discernimiento que implican las grandes pasiones.

Debo salir de ella para entrar en un mundo razonable. Esto no significa aplacar mi amor por Francia ni la influencia que este país ejerció sobre todos los demás en los últimos cuatro siglos. Sólo el materialismo, el poderío bélico de otras naciones, la inevitable aceptación de las fuerzas económicas y financieras relegaron a Francia a un segundo lugar en la mente y en el corazón de los jóvenes actuales. Ningún país del mundo sin embargo ha podido reemplazarlo en el arte, en la literatura, en el milagro de su geografía hecha a nivel humano, en la belleza de su lengua, en su ingenio y en esa Ciudad Luz llamada París.

Como argentina educada en francés no deja de causarme gracia que le debamos a Francia no sólo el refinamiento de nuestra cultura, la de nuestra cocina, la de nuestros recuerdos sino que para completarlo todo hasta le debamos a Carlos Gardel. Según su testamento, hecho poco antes de morir, afirma ser "Carlos Gardés, hijo de Berthe Gardés, nacido en Toulouse el 11 de diciembre de 1890". No viene al caso transcribir los demás datos de sus últimas voluntades, dado que durante un mes nos hemos dedicado todos, quien más, quien menos, a referirnos a nuestro ídolo, pero debemos recordar que dice claramente: "soy francés".

Aun dejando de lado ese hecho meramente anecdótico y hasta al parecer discutible, volvamos a la Francia eterna. ¿Qué tiene Francia que no tenga Italia? ¿Acaso no es Roma una maravilla de tonos ocres, un eje de ciudades todas dignas de ser capitales, un pasado romántico, guerrero, y, por añadidura el Vaticano, y las demás iglesias marcadas por el sello grandioso del Renacimiento?

Sin embargo, los habitantes de nuestro continente pueden ir a Europa sin pisar Italia pero nadie se resigna a no conocer París. Es como decir que uno no ha conocido el amor, ni el mar, ni las montañas. Por supuesto, según afirman los franceses fastidiados, Francia no es París. Se engañan. Para ellos y para mí Francia no es solamente París; para el turista ocasional Francia es París. No tiene tiempo de entrar en los secretos de cada una de sus regiones, salvo cuando lee en el menú de los grandes restaurantes. Sabe si el vino es de Burdeos o de Borgoña, si el *foie gras* es de Estrasburgo o de Périgord, y cuando pide una porción de Brie tal vez no piense que ese queso lleva el nombre de la región.

Yo tuve la suerte de conocer Francia antes de haberla pisado y de conocer luego sus aldeas y a sus habitantes, el interior de sus casas y ese calor humano que no sé por qué afirman que es una cualidad esencialmente argentina. Creo que el argentino confunde la indiscreción con el calor humano. La gente demuestra reconocernos incluso en oportunidades en que no debiera reconocernos, nos quita toda privacidad y a cambio de eso nos gratifica con una sonrisa. En Francia, si yo pasaba junto a la mesa de Sartre y de Simone de Beauvoir en el café de Flore o el Deux Magots, no debía detenerme a reconocerlos, hubiera sido una falta de buen gusto y de educación. Porque el francés es individualista, pero no sólo para él sino para el prójimo; cree en la libertad propia y ajena, en la privacidad de cada cual y en el derecho a ser tan respetado cuando no está en una actuación pública como cualquier persona anónima. Esto significa, en resumen, que el francés considera que ante todo hay que ser bien educado.

Mi identificación con Francia fue siempre tan honda que he llegado a escandalizar a mi guía de turismo en Atenas cuando después de haber escuchado sus informaciones sobre la mitología griega, de haber mirado embelesada el lugar desde donde Egeo se tiró al agua, porque Teseo volvía con su barco enarbolando velas negras, olvidaba momentáneamente la presencia de esa erudita para recitar los versos de Racine y lanzar desde el Partenón las imprecaciones de Fedra y la incestuosa confesión de amor por su hijastro Hipólito. Lo mismo me ocurrió en Micenas, pues para mí Ifigenia se había convertido en una heroína francesa, algo así como una antepasada de Juana de Arco. Paris y Helena ya eran personajes de Giraudoux y el amor de ellos justificaba la guerra de Troya. Para alguien educado en francés el amor lo justifica todo, por eso los alemanes educados por institutrices francesas quisieron poseer a París como si fuera una mujer.

Ésa es por supuesto mi Francia idealizada. Después de la segunda guerra tuvo que plegarse a las exigencias de un mundo materialista. Esto nos ocurrió a cada uno de nosotros individualmente. Debimos saber el valor de las diversas monedas, de los diversos metales, de la lucha por la vida. Y lo que nosotros sufrimos también lo ha sufrido Francia como gran país idílico.

El 14 de julio estampó sobre el mundo el sello de la palabra libertad, aunque no hubo más remedio que exclamar: "Libertad, cuántos crímenes se cometen en tu nombre". Pero admitamos que muchos más crímenes, una vez pasados los sangrientos y desbocados excesos de la Revolución Francesa, se han cometido en nombre de las restricciones a la libertad.

El verdadero drama de Francia frente a un mundo cada vez más desharrapado y más vulgar es que es una aristócrata. De ahí que de su revolución surgiera un imperio, único caso en la historia del mundo. De ese imperio otro imperio y otro rey. En un país de soberanos nacieron soberanos, por eso su tradición es el refinamiento y así como el más humilde de los *bistrots* se enorgullece de su buena cocina, la más insignificante *boutique* desea dejar su sello de elegancia en su ropa, y se repite que no hay oficio inferior, pues la única inferioridad es desempeñarse mediocremente en su oficio. El francés tiene un amor propio exacerbado, a tal punto que un cocinero bajo Luis XIV se suicidó porque no le alcanzaba el pescado para todos los comensales. No se registra un caso semejante en la Historia.

Yo le debo tantas cosas a Francia que no puedo enumerarlas, pero le debo ante todo el saber que no basta vivir por vivir sino que es necesario ser digno de cada uno de esos días de vida que nos han sido conferidos; que trabajar no basta sino que hay que hacer su trabajo lo mejor posible porque para hacerlo peor está cualquier otro. Esa disciplina que a veces otorgo a mis antepasados alemanes quizás ha llegado a mí por el sentido de perfeccionismo de Francia, por el orgullo de intentar contarme entre los mejores. Esto en cuanto a mi formación y a mis limitadas cualidades. Pero todas las páginas del mundo no me bastarían para enumerar la deuda de esa dicha incomunicable que significa deberle a un país el amor por la cultura.

A menudo me pregunto cómo se las arreglan para justificar cada hora de sus días aquellos que sólo se dedican a matarlas. Admito que el tiempo nos mate a nosotros, pero que por añadidura nosotros nos dediquemos a matar el tiempo me parece una tontería descomunal. Tenemos una sola vida y en vez de asumirla en plenitud la degollamos en distracciones frívolas y superfluas. Por poco que una persona razonable piense en esto debe comprender que se dedica a una tarea demencial.

Francia como también Italia son quizá los únicos países que tuvieron mecenas. El mecenazgo era el homenaje que el poderoso rendía al talento y al genio. Ser un mecenas redime de ser simplemente rico y consuela de no ser excepcional, dado que gracias a su ayuda surgen y ejercen su labor creadora las personas excepcionales. Sin esos mecenas no hubiéramos tenido a Corneille, a Racine, a Molière, a Rousseau. De haber habido mecenas en el siglo XIX Rimbaud hubiera continuado con su obra genial en vez de dedicarse a traficar armas y negociar algodón. Si hubiera mecenas entre nosotros tal vez yo estaría escribiendo mi mejor libro en vez de este artículo; iría aprendiendo como tanta gente el arte de matar el tiempo.

Hasta el día de su muerte mi padre (lamento verme obligada a mencionarlo tan a menudo pero su labor fue invalorable) luchó para que el francés fuera el idioma obligatorio de nuestras escuelas. Lucha inútil, dado que ya el mundo no valoraba la cultura por encima de todo sino que se inclinaba hacia las finanzas. Los Estados Unidos imponían su reinado, cosa de la cual no me quejo mientras logre aún mantener nuestro estilo civilizado de vida. Aún las ciencias gozaban de presupuestos astronómicos como para que el hombre llegara a la Luna y los aciertos milagrosos de Pasteur y de los Curie parecían ensayos de alquimistas de la Edad Media hundidos en sus modestas probetas. Entonces el inglés fue el idioma necesario para abrirse camino en la vida. Como se dice en la divertida jerga actual: hay que hablar inglés "sí o sí".

La literatura se convirtió en un consumo masivo que redituaba grandes sumas a los "best sellers" de los países anglosajones y para saltar de un trampolín hacia la fama había que haber sido traducido al inglés.

Pero nada de esto hubiera existido sin Francia y yo que siempre seguí adorando ese idioma, hecho para la poesía y el amor, y la perfección de sus modulaciones y la gracia de su argot, puedo decir, como Rimbaud, *Par délicatesse-j'ai perdu ma vie.*

Los Estados Unidos, con sus inteligentes leyes de desgravaciones impositivas y de herencias, han dado al mundo los mecenas que ya los países menos ricos no pueden dar, y si los impresionistas franceses valen hoy sumas descomunales es gracias a las fundaciones de los multimillonarios norteamericanos. Pero los impresionistas, ellos, fueron franceses. ¿Qué venderían Christensen y Sotheby de no haber habido tantos pintores franceses o como si lo fueran? ¿Quién sabría lo que es el arte culinario sin la cocina francesa? ¿Cómo se hubieran independizado los Estados Unidos sin Lafayette? ¿Y quién hubiera impuesto la grandeza del espíritu de no haberlo hecho Francia con sus enciclopedistas y su humanismo sin tregua?

Imaginar un mundo sin Francia sería como

imaginarlo sin dulzura, sin imán, sin una ciudad que ha alcanzado ya una atracción mitológica, pero no necesitamos reconstruir mentalmente las ruinas de Micenas ni levantar columnas imaginarias destruidas por el tiempo porque París está intacta, altanera y altiva ante sus admiradores conscientes de que un general alemán prefirió perder su rango y su vida para no quedar ante la posteridad como el monstruo que la hizo saltar en pedazos.

Tampoco creo cometer una injusticia con los demás países que fueron cuna de grandes creadores al afirmar que hubo un solo escritor que además de ser prolífico y genial poeta de Francia escribió varias novelas frondosas y piezas de teatro que revolucionaron en tal forma las leyes clásicas que al estrenarse una de ellas hubo tal batahola que se llamó "la batalla de Hernani".

Me refiero por supuesto a Victor Hugo, pues, aparte de *Hernani, Ruy Blas* es también una obra magistral. En cuanto a sus novelas creo que fue el primer autor de best sellers con *Los Miserables, Nuestra Señora de París, El jorobado de Notre Dame*. Su poesía abarca diversos tonos de la lírica, desde la romántica, dado que fue uno de los padres del romanticismo, hasta la épica, con admirable descripción de la batalla de Waterloo, en la que junto a la grandeza de la escena encontramos detallados los uniformes de granaderos y de lanceros; todo eso partiendo desde la retirada de Napoleón vencido por el frío de Rusia.

Chateaubriand puede quedar por su prosa admirable aunque en ocasiones tediosa. Lamartine se acerca a Victor Hugo en su poesía pero no es un novelista y poco ha quedado de su prosa. Musset nos legó encantadoras obras de teatro y poemas sentimentales pero tampoco acometió la novela ni la epopeya; Vigny dejó una novela que aún se lee, *Cinq-Mars*, y poemas desgarradores. Pero el trabajo de todos ellos juntos, y hablo de gigantes, no llega a reunir más tomos que Victor Hugo y si bien a menudo lo igualan en valor ninguno lo supera.

Los genios franceses son muchos. Por supuesto todos los países europeos nos dieron escritores valiosos, pero sólo uno, un francés, Victor Hugo, tocó todas las cuerdas de la creación literaria. Y a fin de siglo, cuando ya la poesía iba dejando de atraer al público, Francia aún lo deslumbró con sus poetas malditos. Y cuando parecía que no quedaba nada nuevo por crear en la novela, Francia sorprendió al mundo con la obra de Marcel Proust.

Conozco más que nadie los defectos de Francia y de los franceses. Mi panegírico no es exagerado sino justo, pues la cultura no existiría sin Francia, ese país por lo general ingrato, altanero, suficiente, que suele desconocer el valor de otros creadores, salvo que hayan ido a refugiarse allí. De Francia salen un Van Gogh y un Picasso. Francia lanza al mundo al novelista checoslovaco Kundera, cuya obra puede llegar a ser tediosa y es por lo menos discutible. Francia aún eleva pedestales pero su onda expansiva disminuye sencillamente porque el idioma francés ya no es el primer idioma del mundo. En las invitaciones del cuerpo diplomático solemos ver que el francés y el inglés van cada uno al pie de la tarjeta: *Black tie* de un lado y en el otro ángulo, RSVP. Este acatamiento al idioma inglés es tan reciente que un gran director de teatro argentino que había vivido mucho en París fue a la embajada de Francia hace tres o cuatro años de traje azul y corbata negra: no sabía que *black tie* significaba *smoking*.

Anécdotas de un lado, Francia sigue siendo el símbolo de la libertad y de la cultura, no tanto de la igualdad ni de la fraternidad. ¿Pero qué país del planeta puede jactarse de llevar la bandera de estas dos palabras de imposible cumplimiento? Las potencias están siempre al borde de una guerra y cada hombre sabe que su destino plural o singular es la soledad y el desgarramiento; que tarde o temprano cada cual es o será víctima de alguna segregación social, racial, sexual, política, religiosa, económica, intelectual. Francia no puede hacer milagros, pero Francia es un milagro, por el cual muchos de nosotros hemos perdido la posibilidad de logros materiales más palpables y hasta de una trascendencia.

Con cada uno de estos sacrificios anónimos cada amante de Francia ha pagado un poco de cuanto le debe. Deuda soberbia e insustituible.

El escritor y la trascendencia

Cuando la vocación despunta es compulsiva, sea ésta la del científico, el artista, el sacerdote o el escritor. De ahí que ninguno de nosotros haya comenzado a escribir para obtener éxito, dinero, ni el premio Nobel. Escribíamos o nos moríamos ahogados en esas ideas que debíamos transformar en palabras para lograr así nuestra íntima identidad. El famoso "ser o no ser" de Hamlet era nuestra única opción; hoy lo simplifican diciendo "sí o sí". Por eso siendo yo muy joven y cuando aún se desconfiaba mucho de la capacidad de la mujer elegí ser escritora sabiendo, lo supe siempre, que renunciaba a los bienes de este mundo como si entrara al convento en cierta forma. Mi familia era inteligente, nadie se opuso, mis padres me apoyaron aunque se podía percibir cierto escepticismo respecto al porvenir y a la trascendencia de mi obra. Por supuesto, ya bastante cuesta ser mujer para encima ser escritora. No obstante, hoy, cuando todas mis amigas juegan a las cartas y salen entre mujeres, yo sigo rodeada de hombres. Porque la perdurabilidad del espíritu se extiende a la edad madura y aun a la ancianidad si recordamos a Ninon de Lenclos para no citar sino a la que venció con más fuerza al tiempo.

Este deseo de escribir que es un escozor tan fuerte como el que provoca cualquier otro deseo llevaba aparejada una sola aspiración: trascender en el tiempo y, si era posible, en el espacio, aunque esto era secundario por ser temporal; en cambio, el tiempo significa vencer a la muerte en el humilde rincón en que nacimos, hacer nuestro "el sentimiento trágico de la vida", al que se refiere Unamuno.

De ahí que el estado actual de nuestro país, que tiene a la gente sujeta a la actualidad como con esposas, sea el peor enemigo de la creación literaria. De ahí también que nos volvamos más solitarios que en el pasado porque la compañía nos aporta poco, más bien nos aleja de nuestras ensoñaciones y de nuestros fantasmas para hundirnos en la mediocre y pegajosa actualidad. Pero no somos héroes y aún en nuestros días solitarios sucumbimos a la tentación de enterarnos de lo que ha ocurrido hoy, no demasiado interesados por el resto del mundo sino por la actualidad cotidiana que nos circunda. Las personas se preguntan unas a otras a cuánto está el dólar, aunque no tengan un sólo dólar, se prenden de los discursos de cada funcionario sobre todo de los ministros de Economía cuya jerga los profanos, por lo general, no entendemos sino a medias y cada cual quiere mirar en la pantalla de su televisor el accidente de tránsito ocurrido entre conductores que no conocen ni de oídas y los precios de artículos que no tienen intención de comprar. Durante años, acaso un siglo, la gran mayoría de la población estaba desinformada y esto la tenía sin cuidado. Hoy el grave peligro es el exceso de información, de una información inútil, transitoria, poco valedera.

Hasta hace algún tiempo la televisión nos parecía un medio de comunicación masivo para personas de corto alcance intelectual. Hoy, aparte de los noticieros en que nos sumergimos empujados por la corriente contra la cual no sabemos nadar, podemos decir que nos ofrece aspectos rescatables de la cultura universal. Los domingos a la noche, por ejemplo, hay funciones de cine club hablado en francés. A mí me basta no ponerme los anteojos para no ver los títulos y me siento transportada a cualquier sala de cine club de París en las que veo filmes de Renoir, de Claude Autan Lara, de muchos otros directores de la época del cuarenta y veo a grandes actores y los oigo hablar ese magnífico idioma francés: Charles Boyer, Marguerite Moreno, Gaby Morlay, Pierre Brasseur y tantos más que me permiten comparar el cine de antes con el de hoy, la literatura de hace cuatro décadas con la actual, advertir hasta qué punto el argumento tenía importancia entonces y cómo la ha perdido: cómo el drama, hasta diré el dramón, ocupó un vasto espacio en la cinematografía de mi juventud y cuánto más lineales fueron las historias que luego los reemplazaron.

También están ahí, inmutables, los libros encuadernados de los autores que es imprescindible conservar; pero a menudo cuesta concentrarse en un escrito refinado y detallista, mientras resulta más fácil, dado que hemos caído en el facilismo, mirar una vieja película aunque nos rechace el blanco y negro.

A menudo pienso que el color de la pantalla grande y de la chica reemplaza la falta de colorido de nuestra vida y por eso muchos huyen de las letras negras sobre páginas blancas pero me parece difícil que los atraiga más la lectura si los editores se dedican a imprimir letras de diversos colores sobre papeles multicolores también. Ocurre que antes el color estaba en nuestra imaginación y lo transmitíamos a lo que leíamos; ahora la imaginación colectiva es gris y opaca, quizá por eso al argentino lo alegra tanto el verano, el follaje, el mar azul, la arena dorada; o, en invierno y si dispone de medios financieros, los colores chillones que usa para desplazarse sobre la nieve. Es como salir de una larga noche.

¿Pero queremos salir de esa noche, de esa actualidad mortecina, de esa resignación gruñona que se ha convertido en nuestra idiosincrasia? En la antigüedad se degollaba al mensajero que llevaba malas noticias; entre nosotros la gente siente la tentación de degollar a aquel que pretenda darle una buena noticia. Nos consuela comentar el desproporcionado aumento de las tarifas públicas y comparar nuestra cuenta con la ajena. Creo que en el fondo los argentinos, pese a transitorios arrebatos de euforia, estamos hondamente desesperanzados: "El país arreglado no lo veremos ni vos ni yo" nos decíamos unos a otros los que tenemos más de cincuenta años y yo recuerdo, porque tengo buena memoria, que ya lo oía decir cuando tenía treinta y comenzaba la inexorable escalada de la inflación y la lenta, pero igualmente inexorable, caída de nuestra moneda.

Ignoro si vivimos en un país que no tiene remedio. Sólo sé que escribo estas líneas con un pie en el avión y que cuando respiro otros aires se esfuman todos los síntomas de depresión nerviosa. Viajar es y será siempre el mejor remedio para todo. Coartar la posibilidad de hacerlo sería quitarnos la única ilusión que alimentamos: la de ser libres, de pertenecer al mundo occidental, de poder elegir nuestro destino, de olvidar nuestros pesares, de economizar durante once meses para pasar un mes entre personas con costumbres distintas y que hablan otros ídiomas. En realidad es la manera más intensa de sentirse vivo. En cambio, las fronteras cerradas son lo más semejante a la cárcel y a la tumba.

Yo no le temo a la muerte porque he vivido con intensidad pero compadezco a quienes hayan arrastrado existencias monótonas y chatas porque nadie podrá regalarnos otra vida, al menos sobre este planeta.

Canadá versus la Argentina

Montreal. A pesar de haber recorrido casi el mundo entero, hasta ahora no había conocido Canadá. Quiso el destino que en mi primera visita a este país me alojara en casa de una sobrina muy informada en materia de campo. En conversaciones mantenidas con ella recordé que problemas semejantes a los que afrontan aquí, aunque en menor escala, los he observado en Europa.

Voy a referirme ahora al hecho insólito de que a pesar de que nuestra pampa húmeda que da hasta tres cosechas anuales no baste para que la Argentina se levante rápidamente, mientras que aquí, en Canadá, donde se recoge una sola cosecha por año, duramente arrancada a una tierra que permanece helada seis meses al año, el país progresa con la misma rapidez vertiginosa que noté en Holanda, donde también se debe luchar arduamente contra los elementos.

He observado en toda Europa la necesidad de encerrar en el establo durante la noche, y a veces durante semanas, a la única vaca que proveía de leche a la familia y a la que había que alimentar por medios artificiales.

Aquí el problema se agrava a causa de la temperatura, que llega hasta los treinta grados bajo cero, pero la organización es tan perfecta que se hace pasar el ganado por galpones calefaccionados cuyas temperaturas van descendiendo para ir acostumbrando el organismo de los animales a la temperatura del exterior que tendrán que afrontar cuando se derrita la nieve. Y no se trata de un sola vaca sino, en ocasiones, de miles de novillos.

Por supuesto, Europa entera encierra su ganado en invierno para lograr su supervivencia, mientras que nosotros, los privilegiados, nos alineamos entre los países más pobres de la Tierra.

El otro día compramos choclos y me asombró que no tuvieran ni un solo grano grisáceo, cuando los nuestros suelen tener la mitad carcomida y la punta agusanada, que casi siempre hay que cortársela. Me contó mi sobrina que unos amigos de ella que cultivan verduras llegan a tirar hasta el treinta por ciento de su cosecha, pues aquí nadie compra sino la producción que está en perfectas condiciones. Por supuesto que pensé que lo que se tira podría ayudar a paliar el hambre en el mundo, pero eso traería aparejados problemas de fletes, de aduanas y gastos que sólo pueden encarar los gobiernos, pero que no pueden afrontar los productores privados.

¿Pero por qué nosotros que lo tenemos todo en cuanto a dones de la naturaleza los aprovechamos tan mal? Pienso que, en general, el argentino todavía cree en la vida fácil y en el milagro, y sigue colocando su dinero a intereses astronómicos en bancos sin respaldo y en financieras que quiebran casi a diario. Porque esas quiebras no son fortuitas ni excepcionales, son tan continuas que resulta imposible pensar que personas informadas sigan depositando en ellas su confianza.

Leo en los diarios locales que en Canadá la propiedad ha subido el 10 por ciento en un año. Ésta es la respuesta del habitante de un país en el que se puede creer, pero si nosotros no creemos en el nuestro es porque, en realidad, no creemos en sus habitantes, es decir, que dudamos de nosotros mismos.

En la Argentina, la propiedad urbana ha bajado y sigue bajando y lo mismo ocurre con los campos; considero que esto es una señal del deseo de disfrutar de la vida en forma inmediata, de poca visión y de escasas ilusiones respecto del porvenir. No somos tan criticables dado que nos han estafado mucho y hemos presenciado una grave corrupción en los poderosos que nos rodeaban, pero, cualquiera que sea nuestra disculpa, esta actitud lamentable sólo puede traer como resultado impedir que el país salga del pozo. Veo que nos estamos hundiendo cada vez más en una tierra fértil convertida en un tembladeral.

Considero que el detenerse a comparar es uno de los hechos positivos que se dan en los viajes. Nuestro clima benigno hace que la mayoría de la gente gaste más en salir que en vivir confortablemente en su casa. Aquí los departamentos y las casas tienen doble ventana, como en Moscú, y no se las abre casi nunca, contrariamente a lo que nosotros hacemos, por nuestra manía de ventilar. Las viviendas están equipadas con aire acondicionado, frío y caliente, que funciona todo el año. Los comercios están también perfectamente climatizados, y gran parte de las tiendas y de los cines son subterráneos.

Los argentinos, tan extravertidos y acostumbrados a conversar sin conocernos, sentimos algo semejante a un desaire al ver que aquí nadie dice "buen día" al encontrarse en el ascensor. Pero cuando vemos que los vecinos tampoco se saludan ni en la cochera, que las empleadas de tienda sólo nos dirigen las palabras imprescindibles, que saludarse no es una costumbre corriente aceptamos esa forma de ser, pero es ese rechazo a la soledad que tenemos en nuestro país lo que puede hacer difícil para algunos de nuestros compatriotas residir en Canadá.

La vida aquí es muy cara, aun calculada en dólares. No hay agua mineral natural y el solo hecho de tener que pagar un dólar norteamericano por una botella de Perrier, que en París tomamos a toda hora, que haya que comprar vino francés o italiano porque el canadiense es mediocre —el argentino, en cambio, es muy bueno—, que el whisky escocés corriente cueste veinte dólares norteamericanos (el dólar canadiense vale un 25% menos, por eso traduzco), que la carne y los quesos son casi prohibitivos para las personas de medios reducidos hace que haya que pensar mucho antes de comprar.

La vida ha subido tan poco que apenas pasa del 4 por ciento anual, contrariamente con lo que sucede con los bienes durables; de ahí que los habitantes de este país prefieran poseer éstos y, en cambio, reduzcan sus gastos respecto de los bienes perecederos.

La gente se instala con su cable visión y dispone de treinta canales, en inglés y francés, y va casi diariamente a alquilar videocasetes en locales donde encuentra filmes en ambos idiomas y recién estrenados. He visto a un matrimonio con sus chicos alquilar cuatro videocasetes, aunque tengan que devolverlos a las veinticuatro horas. Supongo que ha de ser un mal negocio instalar un cine en Montreal.

Los diarios y los noticieros son mucho más localistas que los nuestros. Esta gente introvertida y habituada a codearse con un grupo reducido de amigos no se interesa demasiado por el resto del mundo. Es la primera vez que en un país no me preguntan cómo es la Argentina. No les importa. Son reconcentrados, trabajadores y muy de hogar. Aquí o se trabaja en serio o se muere. La desocupación, sin embargo, es alta; sólo hay pedidos de empleo en las ramas de informática, de computación, de técnicos en electricidad, en televisión, etcétera.

El humanismo, como en todas partes, está en declinación, cosa que entristece a quienes hemos vivido para el espíritu, la literatura, el arte. Hay muchas librerías; ése es un buen indicio, pero, como en la Argentina, se advierte que hay más libros traducidos que de autores locales. Creo que sólo en los Estados Unidos y en Francia los escritores pueden hacerse ricos y famosos, traspasar las fronteras, ganarles a los técnicos.

La naturaleza durante el verano es frondosa y reina tanto en la ciudad, como hace años en Washington, que parecía ser un jardín apenas edificado, aunque aún hoy se advierte la belleza de su diseño. Los restaurantes son los más caros del mundo, incluso los modestos, que apenas superan una cafetería.

Las personas de edad son consideradas y aun siendo extranjero se disfruta de una rebaja en pasajes de ferrocarril y en excursiones, si se tiene más de sesenta años. Esto mismo ocurre en Francia, aunque pocos extranjeros lo saben. Entre nosotros esas rebajas son humillantes, pues se conceden a los jubilados en los vuelos más incómodos y en los meses fuera de temporada, en realidad en lo que no le conviene a ninguna persona que pueda privarse de ese descuento. Aquí la Caja de Ahorro da medio punto más a los ahorristas de más de sesenta años.

Ésta es experiencia hasta hoy de Canadá. Quizás haya personas que lo vean desde otro ángulo, aunque el mío es valedero pues vivo en una casa y así se conocen los países.

Canadá es limpio, ordenado y disciplinado como Suiza. París es la ciudad más linda del mundo. Nueva York es el ombligo del planeta. Pero yo sería la persona más desdichada del mundo si no pudiera volver a vivir en Buenos Aires, a cuyo ritmo estoy perfectamente adaptada, aunque no ignoro que sólo Aerolíneas Argentinas pueda medirse con sus semejantes, en lo demás queda mucho camino por hacer.

Un país donde el hombre ayuda a Dios

Montreal

La tendencia innata de comparar a veces nos enorgullece, a veces nos deprime. Acabo de regresar a Montreal, Canadá, que tiene para mí varios atractivos además de recobrar el idioma francés, después de haber visitado Ottawa, Toronto y las cataratas del Niágara. Son estas últimas las que me mueven a una inevitable comparación: las cataratas del Iguazú. Creo que la octava maravilla del mundo son esos cincuenta kilómetros de nuestras cataratas que también abarcan el Brasil, pero lo admirable es que pocos hoteles del hemisferio occidental pueden igualar el Hotel Internacional de Iguazú. Yo pasé una noche por error de información en un hotelito que desea ser encantador y sólo es localista, provinciano y anticuado, llamado The Prince of Wales, en la aldea llamada Niagara-on-the-Lac. No veía el momento de volver a mi confortable habitación de L'Hôtel, de Toronto. Muchos argentinos, en cambio, me habían afirmado haberse sentido decepcionados por las cataratas del Niágara. A mí, pese al recuerdo inolvidable de abrir mi ventana sobre la Garganta del Diablo, las Niagara Falls me parecieron estupendas, no por su extensión relativamente reducida, sino por la limpidez de sus aguas azules y transparentes como la de un lago, que se deshacen en una continua espuma tan blanca que enceguece.

Una vez más otra comparación se impone: la organización del Niágara subvencionada ampliamente por el gobierno canadiense frente al poco apoyo que obtienen los pioneros del Iguazú. Allí nos cubren de un impermeable amarillo con capucha que va sobre un bonete de papel para mayor higiene y nos bajan en un ascensor para ver la caída de las aguas desde atrás. Es un espectáculo imponente pese a la claustrofobia de esa procesión de seres de otra galaxia que recorremos los empapados corredores subterráneos y hacemos cola para subir y bajar ante los ascensores atestados. Nos creemos sumergidos en un filme de ciencia ficción, todos iguales, grandes y chicos, hombres y mujeres, fantasmas de hule amarillo cuyo flujo es tan continuo como el de las aguas que han ido a reverenciar.

Luego queda lo más impresionante: el viaje a bordo de lanchas descubiertas, todos enfundados esta vez en impermeables negros y que llegan atemorizados, deslumbrados, alguno un poco mareado hasta el pie de la caída del agua, un poco temerosos casi sin poder creer en tan extraordinaria experiencia, pero con una secreta impaciencia por volver a tierra firme. También están organizadas estas excursiones en barco desde Toronto sin tener que cambiar de hotel, ni seguir azotando las autorrutas, pero nos enteramos demasiado tarde. Tanto en los viajes como en la vida nos enteramos de muchas cosas demasiado tarde. Pero sobrevivimos a nuestras ignorancias.

No todos los paisajes son grandiosos ni todo cuanto vemos supera las bellezas de nuestra tierra, pero todo sin excepción está mejor organizado que en la Argentina donde Dios escribió derecho en renglones torcidos y los gobernantes de este suelo bendito no intentaron enderezar los renglones y ponerlos a la altura de lo que había escrito Dios.

De vuelta de Montreal nos detenemos en un paraje encantador llamado Upper Canada, pero su encanto proviene de la decisión de los pobladores de conservar la aldea tal como fue en 1820 y de la subvención del gobierno para que este milagro pueda seguir ocurriendo. Lo mismo que en Williamsburg, Virginia, cerca de Washington los pobladores están vestidos como en aquella época, las casas amobladas como entonces, los artesanos siguen empleando instrumentos rudimentarios para refaccionar sus cercas y sus viviendas así como para fabricar los objetos tentadores que ofrecen a los turistas, las telas hiladas a mano en los antiguos telares. El minúsculo hotel Willard fue trasladado intacto desde Morrisburg hasta Upper Canada Village y no sólo las características de su construcción primitiva fueron respetadas, sino que sirven comida semejante a la de aquel entonces: muchas verdu-

181

ras, mucha fruta, pan casero, vinagre de frambuesa del que nos dan la receta, ensalada y sopa de repollo, jamón como el de antes, que yo tanto añoro, muchas especias, condimentos, arroz, pescado, pollo y carne de buey como en todas partes.

Nos sirve una muchacha amable, vestida a la antigua como todas las demás que se desplazan con elegancia, con sus faldas anchas gracias a la enagua reforzada con gruesos burletes en su parte baja. La cocina de hierro que puede ser cambiada de lugar como en 1820, cuando hizo su aparición en el valle de Saint-Laurent, luce los utensilios de la época sin permitir que nada desentone.

Un caballo arrastra lentamente desde la orilla el bote lleno de turistas entusiastas; otro coche a caballo nos hace dar la vuelta por la aldea, el agua sirve de única fuerza motriz al aserradero. El tiempo no ha pasado para ese hortelano de alto sombrero de paja y esas mujeres con cofias blancas y crinolinas que revolotean entre los turistas con la gracia de su andar. Nosotros pasamos pero Upper Canada Village continúa inmutable en medio de un país donde todo es manejado por computadoras, pero en el cual se prohíbe el radar en las rutas porque es atentar contra la privacidad del automovilista y suponer que no conduce a la velocidad reglamentaria.

No nos entreguemos al pesimismo, pero siempre en nuestro corazón habrá un lugar para la nostalgia de lo que somos y pudimos haber sido.

Quiera Dios que medio siglo de desaliento

sirva para que las generaciones venideras aprendan que sólo merece la pena vivir cuando uno es capaz de crear, de construir y de conservar las reliquias del pasado así como nuestras fastuosas bellezas naturales que ningún país del mundo puede superar.

Nosotros, los ciudadanos indefensos

Cada mañana el diario nos informa de cifras espeluznantes respecto del robo de automóviles. Últimamente, se afirma que en la Capital se roba un auto cada cuarenta y dos minutos. Si estos delincuentes no fueran tan pachorrientos podrían robar un auto cada cinco minutos, dada la vigilancia prácticamente nula existente en las cocheras y la falta de sentido práctico de las compañías de seguros, que no premian al conductor cuidadoso y responsable.

Un periodista de este diario preguntó a la compañía donde tiene asegurado su automóvil qué descuento le harían en el caso de que él gastara una determinada suma en ponerle un sistema antirrobo y alarma a su coche. Le contestaron que no le harían el menor descuento.[1]

Ahora, siempre y en toda ocasión nos encontramos con la tendencia suicida de nuestros conciudadanos. Éste es un tema que se abre como

[1] He recibido de una compañía la información de que ellos lo hacían.

una estrella por varias puntas y debemos tocar cada una de ellas para estudiarlo.

En primer lugar, éste no es el único error que cometen las compañías de seguros, dado que yo, al cabo de un año y medio de no haber tenido ni un raspón en un guardabarro pregunté si no me hacían algún descuento y me contestaron que no. Es decir, que recibo el mismo trato que el conductor descuidado, torpe e ineficiente que se hace pagar diversos siniestros tres o cuatro veces al año.

Somos números, no seres humanos. No valemos por nuestras cualidades ni fracasamos por nuestros defectos; sólo cuenta la suma que abonamos por asegurar un bien tan frágil y tan expuesto como es un automóvil y que depende tanto de nuestra pericia que ella debería guiar el criterio de nuestros aseguradores.

En el Canadá, de donde acabo de regresar, los seguros son terriblemente caros, pero si un automovilista que paga mil trescientos dólares por su seguro al cabo de un año no ha tenido ningún siniestro esa suma le es rebajada a ochocientos. Tampoco existe el seguro contra daños sin franquicia tal vez para que cada cual cuide con esmero la carrocería de su vehículo.

Allí el examen de conductor se rinde cada año en forma práctica y escrita y oral. Me parece que así debe ser. Cuando yo voy a renovar mi registro de conductor me hacen notar que veo muy mal del ojo izquierdo. Naturalmente, nací miope y a pesar de eso mi foja de conductora es intachable porque jamás conduzco sin anteojos y en mi documento reza, por supuesto, "debe usar anteojos". Pero sé manejar, lo hago desde los trece años y lo he hecho por todas las rutas del país y de Europa sin haber tenido jamás el menor accidente. Por eso me parece que no basta con ver que no soy daltónica sino que me tomaran un examen práctico, vieran cómo estaciono sin destrozar el auto de atrás ni el de adelante, sin tener que hacer doscientas maniobras que entorpecen el tránsito. Comprobado esto mi edad tiene poca importancia.

En Francia se da a los automovilistas el registro de conductor para toda la vida, pero después de un siniestro por su culpa se lo suprimen durante un año, si vuelve a ser culpable de otro accidente se lo quitan por cinco años y si se le prueba alguna otra falta o negligencia graves queda privado de él por toda la vida. Es decir, que cada persona es responsable de sus actos y de la seguridad de la comunidad.

Pero volvamos al robo de automóviles. Yo insisto en la cochera para que la reja quede cerrada día y noche. Me contestan: "Sería muy incómodo. Hay horas de mucho movimiento". Pues en esas horas nos embromamos y si no podemos entrar demos la vuelta a la manzana. En cuanto a salir nos harían un favor dificultándonos sacar el auto en frío, pues en verdad todos parecemos tan apresurados como si fuéramos a buscar a la partera. De este modo por lo menos en las cocheras con dos entradas habría que cuidar una sola. Considero también que sería importante tener una alarma conectada con la sección de policía correspondiente, pues aunque demoraran en llegar el número de autos robados en un mismo garaje sería muy inferior al que está totalmente desprotegido. Tampoco sería superfluo tener un guardia armado, un *walkie talkie* y otros elementos de protección como vemos en las casas de departamentos de los Estados Unidos y el Canadá, como la alarma contra incendio, entre otras cosas.

En la Argentina estamos viviendo, en ese terreno, como en la época de la Colonia. Creo que en ese entonces debe haber sido más difícil robar un sulky y un caballo que hoy un automóvil. Pero es tal la obsesión de proteger a los delincuentes que las personas de reconocida solvencia y honestidad quedan a merced de ellos.

En la mayoría de los países de Europa y en los Estados Unidos una persona es inocente mientras no se pruebe que es culpable; aquí una persona es culpable mientras no se pruebe que es inocente. Si un ladrón entra en mi casa con algunos cómplices dispuestos a achurarme y yo les pego un tiro voy a parar a la cárcel porque si no han conseguido convertirme en cadáver no puedo probar que fue en defensa propia. Ya hemos visto la clemencia con que han sido tratados los asesinos de dos personas mayores admirables hace algo más de un año y con qué minuciosidad se echó tierra sobre nombres de criminales sádicos, que mataron con ensañamiento sin más fin que robar una suma relativamente modesta.

Los argentinos decentes no tenemos derecho ni a que nos protejan ni a protegernos; de este modo la delincuencia encuentra que el campo se le hace orégano, y como en la policía también hay jóvenes cínicos y mal pagos que pueden ser corrompidos así como otros han muerto en cumplimiento de su deber, hemos visto violar y robar autos a pocos metros de embajadas cuyos agentes de seguridad parecían haberse vuelto sordos y ciegos o al menos ser muy distraídos.

Las compañías de seguros están por lo general al borde de la quiebra. Es natural que así sea dados los ejemplos que acabo de dar: negligencia en la protección de bienes asegurados, falta de premios al que cuida su bien y pone alarmas antirrobos, carencia total de inspecciones de cocheras y de la obligatoriedad de éstas de disponer de alarmas y defensas eficaces.

Considero que éste es un llamado de atención que las autoridades no deberían desoír. No basta con juzgar a los culpables de la represión, hay que defender al ciudadano contra las agresiones vandálicas, los asaltos, los robos, la subversión siempre latente, pues de lo contrario habrá otras represiones, otras subversiones, otros ataques a las personas y a la propiedad privada, agresiones incomprensibles como las que los noticieros de televisión nos muestran a diario, y de ahí al caos hay más de un paso pero no demasiados.

La validez de las encuestas

Todas las mañanas en los diarios nos presentan cuadros según los cuales un porcentaje de argentinos: universitarios, con estudios secundarios, con estudios primarios o trabajadores manuales prefieren a tal gobernante, condenan o alaban el juicio a los ex jefes de las juntas militares, van a votar por tal partido político y están de acuerdo o en desacuerdo con el Plan Austral. Quisiera saber una sola cosa: ¿Quiénes son esos argentinos?

Soy argentina, me guste o no, con cinco generaciones por un lado y cuatro por el otro, descendiente colateral de próceres, es decir, de la hermana de Juan Martín de Pueyrredón, de un diplomático portugués, de un alemán emprendedor; ingredientes ideales para hacer ese cóctel que es una argentina cabal, hija y nieta de argentinos nativos.

Pues bien, aunque mi oficio me lleva a dar opiniones a troche y moche, jamás me he contado entre las personas encuestadas. Paso en Buenos Aires al menos siete meses por año, ando por distintas calles, sucumbo bajo fastidiosos trámites bancarios, como en restaurantes al menos cuatro noches por semana, me fulmino con otros automovilistas y respeto las luces de los semáforos cuando voy a pie o cuando conduzco. Frecuento de tanto en tanto algún cine, algún teatro, voy a algún estreno, confiterías, fiambrerías, librerías y boutiques.

Pues bien, en ninguno de esos lugares nadie se me ha acercado para preguntarme mi opinión sobre la realidad argentina.

Tentada por las encuestas, resolví hacerlas a mi vez, y desde hace varias semanas pregunto a cada una de las personas que se cruza en mi camino si le han hecho alguna encuesta; todas me afirman que jamás le han preguntado su opinión sobre nada.

¿Podría alguien informarme quiénes son esos fantasmas encuestados? Me inclino a creer que son el producto de la imaginación o acaso de la haraganería de los encuestadores.

Ya he visto por televisión que se instalan en la calle Florida y tienden el micrófono a un joven, a otro joven, a una chica, a una anciana, a un señor elegante, a otro que se abalanza para hablar y allí termina la sesión. Pero el país no termina en la calle Florida el día y a la hora en que se va el locutor del tal canal.

Por lo general, más bien los que tenemos opiniones estamos en nuestro escritorio, en nuestra oficina, en nuestro estudio, en nuestro consultorio, en lugares en los que se piensa y se obra, no mirando vidrieras.

196

Creo por lo tanto que voy a contratar a un encuestador privado para que me pregunte qué opino sobre esta tierra de la que no puedo separarme porque estoy enraizada en ella, y raíces de dos siglos son difíciles de extirpar.

¿Cómo puedo creer en las encuestas si hace algunas noches encendí el televisor, era exactamente el 16 de septiembre, y escuché a una joven del Partido Justicialista afirmar que era un día de duelo para el país, mientras otra de la UCD afirmó que era una gloriosa fecha patria? ¿Cuál de esas opiniones tenía más peso?

Yo estaba fuera de la Argentina en aquella época, pero sé que hubo una exaltación general, un apoyo incondicional a la Revolución Libertadora que cometió el desatino de suprimir la ley de divorcio creando un problema grave a todos los gobernantes que la sucedieron.

No dejó sin embargo de causarme gracia que la señora justicialista afirmara que lo esencial era lograr justicia social y viviendas dignas para todos los argentinos, cosa fácil de lograr si a Perón no le hubieran molestado tanto los lingotes que no le permitían caminar cómodamente por los corredores del Banco Central y hubiera considerado más práctico enviarlos al extranjero.

Tampoco era acertado afirmar que no hubo persecuciones antes del '55 pues mi propio padre sucumbió de un infarto después de perder su cátedra y su sala del hospital Ramos Mejía por haber firmado en el '43 el manifiesto de los notables que pedía la ruptura con el Eje; los demás también fueron severamente castigados.

Sería injusto olvidar que Perón dictó leyes laborales de las que el país carecía, y leyes sociales como el divorcio, la equiparación de los hijos legítimos y naturales, la ley de adopción, única recompensa que pidió Ricardo Finochietto por sus servicios médicos; que creó el aguinaldo, vacaciones pagas, otras mejoras para trabajadores, y que gracias a Evita la mujer tuvo derecho al voto.

Por desgracia todos estos beneficios fueron otorgados en un clima de odio, de discursos inflamados contra una clase dirigente que no tenía posibilidad de defenderse, pero en nuestro país nadie sabe hacer justicia sin cometer simultáneamente una injusticia.

¿Hay que juzgar a las juntas militares? ¡Qué duda cabe! Pero no convertir ese juicio en un circo que alegra a los fracasados y a los resentidos de siempre.

Yo trato de hacer justicia y me atrevo a quedar mal con unos y con otros; pero la única manera de hacer justicia realmente es poner sobre cada platillo los errores y los aciertos de cada cual. El que quiera dividir a los hombres entre monstruos irredentos y santos canonizados se equivocará y será injusto, no justo. Pero el que intente ser justo será vilipendiado por los unos y por los otros.

Si esto fuera una encuesta ¿qué habría contestado yo? Imagino al encuestador muy confundido. ¿Hablé mal o bien de Perón, estoy o no estoy con la Revolución Libertadora, pienso que se debe juzgar o no a los comandantes? Las preguntas son tan simplistas que el menor intento de explayarse en alguna de ellas marea a quien las hace. En las guerras civiles o revoluciones se mata y se muere. La tortura en cambio es imperdonable, y la estupidez también.

El general Galtieri debe ser juzgado por haber cometido la estupidez más grande de la historia; todos los demás por los pecados que hayan cometido, pero, como estamos entre argentinos y nuestros militares no son jefes nazis juzgados en Israel sin compatriotas, creo que el respeto por nuestras fuerzas armadas debería haber exigido un juicio privado, no un espectáculo público, no sólo por respeto a los hombres sino por respeto a los uniformes, pues la anarquía es fruto de esa clase de irrespetuosidad.

Si me preguntasen mi opinión sobre el Plan Austral diría que el país se había convertido en una inmensa timba y no le vino mal aprender a serenarse, pero que se basa sobre una injusticia evidente: todo se congeló de la noche a la mañana menos los servicios públicos que aumentan cada mes: gas, electricidad, impuestos, teléfonos, patentes de automotores dobladas entre julio y septiembre y aun se habla de aumentar la nafta.

Otra vez se repite el error de olvidar que son argentinos los que gobiernan a los argentinos y que por lo tanto esos gobernantes no ignoran que un pueblo con sueldos y jubilaciones congeladas no puede fabricar dinero para pagar aumentos de precios de artículos de primera necesidad como los que acabo de mencionar y que deberían figurar en la canasta familiar. No todo el mundo tiene dólares en el colchón para hacer frente a esos aumentos indiscriminados.

Si los particulares debemos ser condenados a la pobreza, el Estado debe comportarse como un Estado pobre y eliminar gastos superfluos, entre ellos un exceso de representantes en el extranjero que por lo general, salvo raras excepciones, nunca han hecho nada por la imagen del país. Cabe preguntarse si la actual pobreza del pueblo no es una de las grandes causas del aumento de la delincuencia.

La mayoría de los argentinos gana sumas irrisorias con las cuales no se puede pagar un techo y comer, mucho menos pagar un teléfono y alumbrarse con luz eléctrica. Sueldos y jubilaciones mínimas de 56 australes netos son una ofensa a la dignidad humana.

Y también es imposible vivir con ochenta o con cien. Desde el Presidente abajo todo el Gobierno lo sabe y los que no gobiernan también.

Una de las maneras que las personas eficientes han encontrado para ganar mejores sueldos es la de cambiar de empleo. Una cajera ganaba en tal empresa ciento ochenta australes y sus empleadores no tenían derecho a aumentarle el sueldo. Renunció y se fue a otra empresa donde pudieron contratarla por doscientos sesenta australes. Hecha la ley hecha la trampa, aunque esto no es una trampa sino una solución lógica.

Por otra parte, dado que tenemos la moneda más alta del mundo después de la libra esterlina, no nos vendría nada mal conocerle la cara, pues referirse a un signo monetario inexistente es obligar a un pueblo entero a vivir una economía de ciencia ficción.

Otro de los defectos de este plan es quitarle al asalariado la legítima ilusión de un aumento, de un premio a su buen comportamiento. Gana lo mismo el que falta aduciendo motivos discutibles que el que cumple seriamente con su deber; es curioso que bajo un gobierno civil vivamos más regimentados de lo que hemos vivido bajo regímenes militares. La inflexibilidad es siempre un defecto en economía como en cualquier otro orden de la vida. De ahí al toque de queda no hay más que un paso.

Lo que ha aumentado con este régimen es la imaginación de los obreros. Conozco a un electricista de un edificio que sufre depresiones nerviosas, enfermedad que antes sólo podían permitirse los ricos. Vaya alguien a comprobar la veracidad de esta afirmación que desde hace dos meses le impide concurrir a su trabajo.

En resumen, el Plan Austral es una fuente de fantasías, cosa que no le viene mal a un país tan monótono y uniforme como el nuestro. Yo, a pesar de tener imaginación y haber creado centenares de personajes, no encuentro ninguna forma de inventarme una depresión nerviosa que me permita cobrar un artículo que no he escrito, pero éste es un aspecto que no ha sido considerado por los gélidos pingüinos de nuestra economía.

Así termina mi propia encuesta. Si quieren saber por quién voy a votar contestaré que el voto es secreto ¿o ya no lo es?

Yo siempre te defiendo

Nuestro país que fue tan culto y tan digno, nuestra ciudad que se consideraba el París de Sudamérica se ha convertido en la acepción despectiva de la palabra, es decir, sin sus tradiciones ni su sentido de hospitalidad, en una provincia. Acaso fuera más exacto decir que se parece a un pueblo o a un barrio cuyas conversaciones se engolfan como corrientes de aire por sus calles y sus zaguanes.

He llegado a una edad en la que se ve el carretel a través del poco hilo que aún le queda, pero afortunadamente ese trozo de plástico pelado aún encierra un cerebro activo. Conozco mis limitaciones, las estudio con inquietud, sé que nadie debe dormirse sobre su pasado porque los laureles se marchitan con la misma rapidez que cualquier otra planta. Por desventura la mayoría de mis contemporáneos y sobre todo de mis contemporáneas, porque los hombres se mueren más jóvenes, no nos ayudan a sostener esta columna tambaleante de la cultura que nutrió nuestra juventud.

Buenos Aires ha perdido su elegancia y su cultura. De lo contrario no asistiríamos absortos a las chabacanerías de nuestra televisión, algunas de las cuales imperdonables por provenir de personas valiosas. Cada uno de nosotros es víctima en mayor o menor grado del resentimiento de quienes antes de asestarnos un golpe bajo nos dicen: "Yo siempre te defiendo". Esto significa, aun para quienes tienen las arterias endurecidas, que todo el mundo nos ataca y que debemos contestar en forma reiterativa: "Si los perros ladran es señal de que galopamos". Yo sé que galopo aunque no haya perros a mano para ladrar.

Sin embargo, el buen amigo o la buena amiga que nos defienden no mienten, han tomado nuestro partido pero no han tenido la personalidad suficiente para pedir que se hablara de temas, no de gente. Así también al repetirnos esas conversaciones ociosas nos introducen sin querer en un espacio del que por lo general huimos, el que no intenta siquiera disimular sus mezquindades, superar sus pequeñeces, enterarse de que hay un mundo que habla de otras cosas, que vive para otras cosas, que hace otras cosas; un mundo en el que caben el arte, la literatura, la política, las finanzas, el amor al prójimo y las diversas manifestaciones que nos permiten creer que hemos sido creados a imagen y semejanza de Dios, no de un enanito de jardín.

Como lo dije al comenzar he entrado en la edad de los recuerdos, de las nostalgias y no puedo dejar de añorar aquellos tiempos en que discutíamos acaloradamente por un escritor y un libro, en que como decía Mallea: "Esta gente lee lo que yo leo ¿pero acaso un día leerá lo que yo escribo?" Pienso en la casa de mis padres donde los comensales corrientes eran Pérez de Ayala, René Huyghe, Gilles de la Tourette, creadores y críticos. Pienso en los domingos en la casa de Ricardo Baeza con María de Maeztu y Margarita Sarfatti, llenas de anécdotas sobre la guerra civil española o la marcha sobre Roma. Y más tarde Ricardo y yo nos hundíamos en una casi imposible traducción de *Tentations de Saint-Antoine*, de Flaubert. Rafael Alberti, Neruda, Borges cáustico y soberbio en su anonimato y en su pobreza, nunca demasiado anónimo ni demasiado pobre pero haciendo gala de su erudición. Yo bebía las palabras de cada uno de ellos, me nutría en esas inteligencias cultivadas a fondo como una tierra bien arada, me sentía feliz de ser escritora aunque nadie llegara a conocerme jamás.

Por aquel entonces a principios de 1944 obtuve el Premio Municipal de Literatura. Apenas cobré deslumbrada esos 2500 pesos corrí a comprar el *Diario*, de Gide, y las *Confesiones*, de Rousseau. Sólo después con esa enorme suma adquirí el uniforme del Champagnat de mi hijo, un traje para mi marido, fundas para mi Fiat *balilla* y un elegantísimo *tailleur* para mí, cartera y zapatos haciendo juego.

La gente que tiene la vida por delante no le teme a la vida y la que tiene un pie en la tumba muere de miedo ante la posibilidad de carecer de lo superfluo. La superioridad del joven sobre el viejo es esa falta de miedo al porvenir quizá porque sabe que como decía Baeza: "todo el mundo vive", y como decía Van Gogh: "vivir un poco peor o un poco mejor no tiene ninguna importancia".

Las dificultades materiales desmoralizan a los argentinos porque creen que el mundo empieza y termina en los artefactos del hogar y en toda esa transitoriedad a la que acabo de referirme. Parece imposible imaginar que los descendientes de la epopeya de nuestra independencia se hayan vuelto tan mezquinos y no dispongan de un instante para pensar en nuestras pasadas grandezas que no se basaban sobre la posesión de los bienes de este mundo sino sobre ideales y sueños heroicos...

Hoy el mero hecho de tener ideas y de defenderlas convierte a una persona, sobre todo si es mujer, en un peligro social. Siempre se ha dicho que de la discusión nace la luz; actualmente discutir una idea es un grave pecado en parte porque aleja a los demás comensales del tema idolatrado que es hablar del prójimo. A la gente le cuesta digerir los éxitos ajenos y la mejor manera de empañarlos es ensañarse contra la personalidad de quienes los obtienen.

Todo esto no se refiere solamente a la vida mundana o privada sino al ambiente anticultural que vive la Argentina. Para mejorarlo habría que suprimir el noventa por ciento de los programas de la televisión e intentar copiar los que ofrecen los países cultos. Nuestros gobernantes viajan lo suficiente como para apreciar esas diferencias y aportarlas al pueblo argentino que está cayendo en abismos de tontería, chabacanería, ignorancia, prepotencia, apresuramientos en sus expresiones culturales y disparates sin precedentes en las traducciones de los libros a nuestro idioma. En vez de acercarnos a los centros de la cultura nos estamos alejando velozmente de ellos.

Sé que cuando aparezcan estas líneas alguien me dirá que en una reunión de amigos tuvo que defenderme porque "yo siempre te defiendo". Lo que muy pocos consiguen es cuando se miran al espejo afrontar la mediocridad que han elegido y defenderse ante sí ante Dios o ante su conciencia que les reprocha vivir por elección a la altura de sus defectos y no a la altura de sus cualidades.

Para completar este cuadro lamentable debemos soportar a diario a personas que pretenden del escritor lo que no se atreverían a pedirle a ninguna otra persona; que les regale su tiempo y sus ideas en mesas redondas o conferencias por las que no pagan nada. ¿De qué suponen que viven los escritores? ¿Creen acaso que los periódicos en los que colaboramos nos estafan? ¿No les cobra su médico, su abogado, su criada, su plomero? Por supuesto que sí pero si el escritor no acepta ir a regalarles un *show* tendrá que oír algún día el comentario de un amigo diciéndole que lo consideran una persona venal "y yo tuve que defenderte, porque yo siempre te defiendo"

Cómo lavar el cerebro de los electores

Cada individuo aislado suele ser inteligente; la masa nunca lo es. De ahí que los *slogans* de los partidos políticos se dirijan a la masa en términos simplistas y transmisibles.

Una de las maneras más eficientes de lavar el cerebro de las masas es afirmarles que uno tiene la seguridad absoluta de ganar por un porcentaje elevado, porque al hombre masificado le gusta sentir el respaldo de los demás; teme ser único y singular, su vocación es pluralista; cree que basta ser muchos para tener razón. Sin llegar a esos extremos advertimos en un club el sentido de superioridad de una mesa de diez o doce personas sobre los comensales de una mesa de dos. Ellos son muchos, *ergo*, son más importantes, más queridos que ese matrimonio que come en silencio.

Estamos en vísperas de elecciones, sería difícil ignorarlo ante las calzadas cubiertas de panfletos, las paredes de los baldíos tapizadas por la mitad de la cara de un candidato tapada por la mitad de la de otro y las frases incongruentes que se forman al entrecruzar diversas opiniones. Por supuesto, ahora no hay quien no recurra a los jubilados, muchos de ellos internados en clínicas geriátricas y otros con medios suficientes para no usar los servicios de PAMI. Sin embargo, no cabe duda de que nadie hizo tanto como Manrique por la clase llamada pasiva, aunque más de la mitad de ellos deben seguir trabajando si quieren comer. Podemos afirmar que "hay algo podrido en Dinamarca" y que las jubilaciones tienen una relación lejanísima con lo que aportó el hombre en actividad. El hombre o la mujer, por supuesto.

Hay otro tema candente: el divorcio. En eso somos campeones los demócratas progresistas, pero, ¿qué puede hacer nadie en el único país del mundo en el cual la Iglesia pudo más que el sentido común?

Es inútil explicar que nadie se divorcia por gusto, que todos nos hemos casado para toda la vida, de lo contrario nadie daría un paso tan trascendental; que no hay momentos más atroces que los meses y hasta diré años que preceden a la separación.

El divorcio no es una ley obligatoria sino una panacea a una catástrofe personal de la pareja, prohibirlo es como prohibir las aspirinas partiendo de la base de que son la causa del dolor de cabeza. Además, un pueblo tan materialista como el argentino sabe perfectamente que el divorcio es un mal negocio y las parejas que llegan a él lo hacen cuando ya no encuentran otro remedio a sus males.

Pero una ley que triunfó junto al Vaticano y en la España ultracatólica no basta aquí para ganar una elección. La gente se ha acostumbrado a vivir en la irregularidad, y cuando se trata de gente con fortuna hasta prefieren ese arreglo que les permite venderse y comprarse bienes, tener cuentas conjuntas en Suiza y no cargar con una nueva obligación legal. El pato de la boda, como siempre, es el pobre, la mujer de clase media que después de veinte años de un segundo casamiento debe dejar su pensión a la cónyuge con la cual el hombre vivió tres o cuatro años.

No creo que valga la pena extenderse en las aspiraciones de los partidos de izquierda: por lo general son pobres que quieren ser ricos, pero antes de hacerlo deben degollar a los que ya son ricos porque ¿qué significa un aumento de salarios frente al Mercedes del patrón?

La derecha liberal es explícita, aunque Alsogaray y su lúcido equipo perdieron argumentos ante el Plan Austral. Inútil insistir que el 14 de junio subieron todos los servicios públicos y hasta el día de hoy suben las patentes de los autos y otras menudencias mientras se afirma que los precios están congelados ¿Cuáles? Algunas verduras, carnes y pollos, pero lo cierto es que asistimos a un desabastecimiento grave en materia de medicinas y a jornaleros que han perdido el aliciente de trabajar al perder la ilusión de un aumento. Total, el criollo con mate y galleta sobrevive y ha tomado en serio que el trabajo es un castigo bíblico.

Como el Gobierno tiene más ases en la mano que los demás partidos políticos, a los que da unos pocos minutos por televisión y radio durante los últimos días de la campaña, nos ofrece una bandera argentina con las siglas de nuestro país: R.A. Una amiga me abrió los ojos: "No quiere decir República Argentina sino Raúl Alfonsín". Por supuesto, nuestro presidente carismático tiene la suerte de disponer de las mismas iniciales que el país. Sin embargo, como la necesidad tiene cara de hereje, hubo que dictar un paquete de medidas impositivas que alejan a un enorme porcentaje del electorado, pero, ¿cómo no aprovechar la mayoría actual en las Cámaras? ¿Quién nos afirma que seguirá después del 3 de noviembre? Ahora cabe la pregunta ¿quién votaría por Alfonsín? El setenta por ciento del país, sin duda. Pero por sus diputados ya es otro cantar. Alfonsín está ahí, por suerte, sano, vigoroso, viajero incansable, con algunos kilos más y hasta un nuevo sentido del humor que le dio la buena suerte y su propia habilidad para gobernar. "En Suiza tienen las armas en su casa. Aquí es mejor que no", dijo sonriendo al inaugurar un stand de tiro. Tiene gracia, para qué negarlo. Pero sus candidatos a diputado tienen tan poca. A él, a nuestro presidente, lo tenemos firme como romano para cuatro años más, y ya no es el caso de volver a votarlo. Cabe entonces la pregunta obligada, ¿quiénes votarán o quiénes no votarán ni a tiros por los radicales? Por supuesto, no votarán por ellos los afiliados a los demás partidos, pero queda la gran masa que hace dos años eligió la opción y hoy quiere votar por sus propias convicciones. Ya no se trata de optar entre un enloquecido que quema un ataúd y un político de ley sino por un Parlamento pluralista que nos hace falta para que todas las ideas sean discutidas allí.

Aun las personas más informadas suelen cometer errores en su estimación sobre las necesidades del pueblo. Recuerdo que hace treinta años, una tarde en que fui a ver a Zavala Ortiz a la Junta Consultiva me trabé en una discusión con Alicia Moreau de Justo. Ella estaba en aquel momento inquieta por el aumento de la leche y afirmaba que el obrero no podía pagarla. Yo tenía un tambito y le dije que los productos del campo no pueden basarse sobre el sueldo del hombre de la ciudad sino que debería ser al contrario, así habría más trabajadores rurales. Le pregunté si ella sabía hasta que punto era sacrificada la vida del tambero y ante su vacilación le conté: "Se levanta a las cuatro de la mañana, invierno y verano, ordeña bajo la lluvia, sin techo, en el barro, sin piso, debe estar en la tranquera con los tarros antes de las siete, en que pasa el camión de la cooperativa tambera. Volver, desensillar el sulky, lavar los baldes, ayudar a nacer a un ternero, a que el toro monte a una vaca y a la tarde muchas veces volver a ordeñar". Ninguna distracción, poco tiempo para el descanso y como cobraba el 50% de las entradas brutas de la leche si ésta bajaba ese hombre, esa familia que araba y sembraba y trabajaba de sol a sol vería disminuidas sus entradas. Luego los tambos tuvieron piso y tinglado y los grandes son eléctricos, pero queda el pequeño tambero que debe vivir de su labor esforzada.

Alicia Moreau me escuchó atentamente y nunca volvió a pedir que bajara el precio de la leche.

La prédica de los socialistas suele ser algo primaria, porque va dirigida a personas simples y necesitadas. Ellos por supuesto no van a votar a los radicales. Pero volvamos a mi pregunta: ¿cuántos miembros de las fuerzas armadas, familias y amigos van a votar por los radicales? Cabe suponer que pocos. ¿Cuántos obreros, cuántos empleados bancarios a quienes les ha negado la ley de estabilidad? ¿Cuántos empresarios se sienten enfervorizados por un partido que los estrangula con un ahorro forzoso? Fea palabra para ser usada en democracia. Creo que el doctor Alfonsín debería aconsejar a Sourrouille que se compre un diccionario de sinónimos. ¿Cuántos escritores que hasta ahora estaban exentos de pagar impuestos a los derechos de autor y ahora deben hacerlo en un país en que sus obras no pasan las fronteras? ¿Cuántos hombres de campo piensan votar por los radicales? La verdad es que no están eufóricos, afirman que el campo nunca ha estado peor y que no lo venden porque no hay compradores, pero que se están arruinando lentamente. ¿Cuántos profesionales que ven a sus colegas triunfar en el extranjero y hasta pertenecer al equipo ganador del Premio Nobel y enterarse que otro triunfa en París descubriendo el virus del SIDA mientras aquí ganaba para comprarse dos kilos y medio de café?

El argentino está pobre, se siente pobre, se sabe pobre. No ignora, si es de buena fe, que eso se debe en gran parte a la deuda externa, pero tampoco ignora que Reagan viaja con un séquito de cincuenta personas y nuestro presidente con uno de cien. Además, aceptar la pobreza como un ideal no es lo mismo que ver que se la imponen. Sabe que en el Uruguay no existe la DGI y el Banco República no congela los dólares de los depositantes. Hoy se saben muchas cosas aunque se ignoran las más importantes, las que permiten desdeñar los bienes transitorios, creer en ideales basados en la cultura, el amor a las letras, a las artes. Pero hasta el periodismo televisivo pasa de la ciencia ficción a cursos de economía con cifras irrefutables.

De todo este análisis saco en limpio que aunque el setenta por ciento del país seguimos siendo alfonsinistas, sólo una minoría, digamos, y un 43% para arriesgar una cifra al azar, votará por los diputados radicales. La gente medianamente culta sabe que se atacó acertadamente la inflación, no en la medida en que se afirma, pero en forma acertada, imprevista y espectacular, a costa de los habitantes ricos y pobres que jamás quisieron hacer el menor sacrificio y lamentablemente hubo que imponérselo. Pero si "todo redentor muere crucificado" es porque a todo redentor se le va la mano. A un pueblo acostumbrado a la especulación le quitaron hasta la seguridad de unas modestas rentas en caja de ahorro, fue como querer curar de golpe a un drogadicto o a un alcohólico. Son tratamientos que llevan tiempo y requieren tacto. Pero es preciso reconocer que no quedaba margen de tiempo.

Lo cierto es que la excitación del juego económico no ha sido reemplazada por otros ideales, por otras ilusiones. No todo el mundo es presidente de la República, pero todo el mundo busca una motivación para vivir. No se trata de tener, como el Paraguay, un presidente in eternum; como dijo Alfonsín: "Con seis años está bien".

En cuanto a los diputados, ¿quién duda que saldrán Manrique y Martínez Raymonda y la UCD podrá lograr cuatro nuevas bancas? Es un partido con ideas que maneja bien las cifras. El Demócrata Progresista es un partido con principios. en cuanto a los de la izquierda, tan fraccionados, sólo cabe preguntarse ¿por qué los dirigentes gremiales se han vuelto tan mansos a último momento y no defienden con más ahínco las necesidades vitales de sus afiliados? Mucho bla-bla-bla, pero con eso no comen los obreros ni sus familias. Para todo esto hay respuestas evidentes.

Entretanto, esperemos que el globo reluciente

llamado Austral que mereció el aprecio de los países civilizados no esté demasiado inflado y no reviente a fin de año. Es cuestión de seguir dejando escapar un poco de aire, como el de la vestimenta, por ejemplo.

Vamos más bien mejorando que empeorando, es un buen síntoma para quien estuvo en terapia intensiva, pero una democracia requiere un Parlamento y a eso debemos apuntar.

¿El argentino aborrece la cultura?

Hace poco más de dos meses, en Montreal, busqué libros de autores argentinos en la Librería Argentina y sólo encontré los editados en España, que son pocos. Le pregunté al vendedor a qué se debía esto y me contestó: "No puedo traer libros editados en la Argentina, sería suicida de mi parte. Cuestan el doble o triple, están mal impresos y me crean problemas aduaneros continuos".

Al llegar a Buenos Aires, me comentó uno de mis editores que ellos también estaban luchando para que el libro argentino editado fuera del país no sufriera tantos recargos, pero tropezaban con oídos sordos.

Desde entonces, día tras día, advierto que nada valora menos el argentino que la cultura. Cada cuatro o cinco días me llaman de un canal televisivo para invitarme a concurrir a un diálogo, pero en cuanto hablo de cobrar un cachet quedan en contestarme y no me llaman más. El locutor que goza de ese espacio cobra sumas importantes pero el invitado debe trabajar gratis para él. Comprendo hacerlo para una obra de beneficencia pero no para

225

un señor que por lo general se ha quemado las pestañas menos que yo, y no tiene derecho a pedir mi tiempo a cambio de una publicidad que ni pido ni necesito.

También, cada tantos días me llaman de una revista para pedirme un reportaje. Nunca fui paciente, pero intentando hacer gala de paciencia respondo que prefiero escribir yo y no que lo haga el cronista, porque algún motivo habrá para que mi nombre sea más conocido y cotizado que el suyo, por lo tanto en vez de hablar si quieren un artículo lo haré siempre que acepten mi precio. Por supuesto quedan en contestarme y ya sé que me he librado del famoso reportaje.

Entre los pedidos más corrientes está, desde hace uno o dos años, un diálogo con Patricia Bullrich. No la conozco ni ella a mí. No veo el motivo para conformar un reportaje con una chica a la que no he visto jamás por el sólo hecho de llevar el mismo apellido y. tener un lejanísimo parentesco. Los Bullrich somos tantos que, si tuviéramos que enfrentarnos unos a otros, llenaríamos todas las revistas del país.

Entre los disparates que me endilgan haciéndome perder tiempo y paciencia hay uno bastante original: me llamaron de una revista femenina para pedirme un reportaje en el que yo misma comentara mi artículo en *La Nación* sobre mis setenta años. Contesté sorprendida: "¡Pero cómo voy a comentar yo mi propio artículo! Busquen a otra persona para que lo haga''. No querían entender razones y volvieron a llamarme para preguntarme ''si se trataba de un problema económico''. ''Yo no tengo ningún problema económico, gracias a Dios'', les dije. Pero la joven periodista me contestó si se trataba de cuestión de precio: ''Ah, eso es otra cosa. Mi trabajo no lo regalo, pero comentar mi propio artículo sigue siendo un disparate''. Al afirmarme que podía tratar otros temas pero deseaban saber cuánto quería ganar, contesté que al menos el doble de un diario que da prestigio y en el que colaboro en forma estable. Por supuesto no volvieron a llamar. Ya sabían que era difícil hacerme caer en la trampa de la idea descabellada que alimentaban y, además, no tenían ganas de gastar un centavo en un tema cultural.

No señores, ya se acabó la época de los poetas malditos, de los genios que murieron de hambre como Van Gogh y Poe, ahora somos un poco menos mediocres que nuestro casual interlocutor, pero cobramos un precio mínimo por esa leve superioridad y ese nombre hecho con sudor y lágrimas. No otra cosa es a la larga la labor de un escritor. Lo que ocurre es que el público no reclama cultura y el empresario por eso no se la da.

En un momento vacío de un anochecer de domingo vi a varias parejas de mediana edad y a algunos adolescentes que jugaban por televisión a las adivinanzas. A la mayoría les resultó fácil reconocer una melodía, pero cuando les dijeron: ''En el año 1938 dos escritores argentinos se suicidaron; uno entrando al mar, el otro, en una isla del Tigre, ¿quiénes eran?'' Aunque parezca mentira la mayor parte no encontró ningún nombre. Otro matrimonio que ganaba todos los puntos logró recordar a Alfonsina Storni, pero ni uno solo de esos hombres y mujeres que saben leer y escribir, reconocer la cara de un actor y el nombre de una película de la que vieron sólo un pantallazo, fueron capaces de recordar a Leopoldo Lugones. No obstante, si hubieran visto un pasaje de *La guerra gaucha* habrían reconocido el título de la película y el actor, pero no recordaban el nombre del autor, uno de los más importantes de nuestra literatura cuya muerte trágica comentamos a menudo y en cuyo aniversario ha sido instituido el Día del Escritor. Para colmo de ignorancia, en ese infausto 13 de octubre oí cómo los panelistas mencionaban como suicidas posibles a Ricardo Güiraldes y a otros que murieron de muerte natural.

Es difícil ser escritor en un país con tal acendrada vocación de ignorancia y en vísperas de elecciones no pude dejar de pensar que el voto de esa gente valía lo mismo que el mío; esa gente bien vestida, él de chaqueta y corbata, no personas de una villa miseria, iguales a usted y a mí si los encontramos por la calle.

Lo que indigna es que todos nuestros gobernantes hayan preferido mantener al pueblo en la ignorancia y nos hayan negado el acceso a la televi-

228

sión a quienes hubiéramos podido formar e informar a los que adoran la televisión, como las tribus primitivas adoraban a sus dioses. Porque hay una verdad de a puño: el pueblo hoy en día mira televisión en cada rato libre, es su única fuente de cultura y en vez de aprovechar este milagro de comunicación masiva, se lo usa para volver más ignorante y más estúpido al que ya lo es sin que nadie lo ayude. Pero ¿a quién le interesa que el argentino esté a la altura intelectual de los hombres de los países civilizados en vez de hundirlo en un Tercer Mundo en el nivel de los negritos de Africa y de los mendigos de la India? Al parecer no les ha interesado ni a los gobiernos militares, ni a los civiles, ni a los de facto, ni a los constitucionales. Pero a nosotros, los que no mandamos, los que creemos en la cultura por encima de todas las cosas, los que odiamos ver a nuestros compatriotas hundidos en la ignorancia y en la superstición, este desdén por las conquistas del cerebro humano nos duele como una afrenta personal.

Hoy ni un individuo ni un país vale sino por lo que sabe. ¿Nosotros qué sabemos? ¿Nosotros qué valemos? Demasiado poco para contar en el concierto de las naciones y esto debe cambiar por el honor de los argentinos.

La incoherencia de los argentinos

En los países que conozco, que no son pocos, la gente suele vivir en forma acorde con sus principios. En cambio, donde vivimos deberíamos dedicarnos a la biología porque somos especímenes de otro planeta, la gente vive de una manera y piensa de otra, aunque en honor a la verdad creo que piensa poco y vive en un tono menor.

Estas elecciones me han dado que pensar como a cualquier persona racional. Al parecer hay tres millones y medio de jubilados en el país, de los cuales el 80% cobra la jubilación mínima. Conste que no me responsabilizo de la exactitud de estas cifras. Francisco Manrique hace su campaña apoyándose en esta premisa y ni siquiera consigue 150.000 votos para entrar en el Parlamento. Otra estadística afirma que hay más de dos millones de parejas que no pueden casarse por la ley a causa de la ausencia de la ley de divorcio y Martínez Raymonda, que basa sobre estas cifras su campaña electoral, tampoco logra esos ciento cincuenta mil votos para ser diputado. Los terratenientes y los empresarios lloran miserias, se quejan por el ahorro forzoso, despiden personal, pregonan la privatización y la UCD no logra introducir sino a un diputado. ¿Cambiará tanto el hombre ante las urnas como para pasar de Doctor Jekill a Mister Hyde?

Mis experiencias son diversas pero las une un denominador común: lo irracional en el comportamiento de mis compatriotas. Escribo un artículo sobre "Cumplir setenta años", simple coquetería nostálgica y aceptación del paso del tiempo, y me encuentro con infinitas personas que me afirman que es la mejor edad de la vida. Sin embargo, Fausto no vendió su alma al Diablo para tener setenta años sino veinte y conquistar el amor de Margarita; su sueño no era internarse en una clínica geriátrica.

Me invitan a un canal de televisión de diez de la noche a la una y media de la mañana, no me ofrecen sino un café, un vaso de agua de la canilla y me afirman que tengo fama de amarreta. Ignoran mi situación pecuniaria pero me asestan un golpe bajo, aunque a mí en el lugar de los panelistas y del avisador se me caería la cara de vergüenza.

Para volver a las elecciones, creo que la mayor coherencia se encontró no en la gente que se cree culta sino en el pueblo y en un sector amplio de la clase media. No son los que sólo piensan en aumentos de salarios y tienen la idea fija de no pagar la deuda externa y consideran a los países que tuvieron la imprudencia de prestarnos dinero como a pulpos que nos chupan la sangre. Por fortuna Alfonsín sabe que lo inmoral no es pagar sus deudas sino pedir dinero sin la intención de devolverlo. Las deudas se pagan, de lo contrario en vez de tratarse de un préstamo se trataría de un obsequio fastuoso.

Entretanto leo en el diario que una persona de 21 años no puede salir del país sin la firma de ambos padres. Ese ciudadano tiene la obligación a los 18 años de morir por la Patria, de votar a sus gobernantes y el derecho a una licencia de conductor que le permite atropellar a cualquiera a su paso pero no puede ir con su madre al Uruguay porque hace años que ninguno sabe en qué país del mundo se encuentra el padre.

El hecho de legalizar el concubinato para no instaurar una ley de divorcio sería para desternillarse de risa si no nos hiciera llorar. Porque hace un siglo que se acabaron las concubinas con sus boas de plumas, sus diademas de brillantes, sus vestidos de una sola noche para lucirlos en Maxim's bebiendo champaña junto al amante ocioso, multimillonario y apasionado que se arruinaba por estas mujeres infieles y veleidosas y se pegaban un tiro cuando ya no podían afrontar tanto despilfarro.

La vida actual ha cambiado y ningún hombre puede mantener dos hogares ni pasarse la noche de juerga después de largos días empapelados con formularios de réditos, boletas, permisos, impuestos y demás hierbas. No se puede legislar sobre las locas pasiones que inspiraba la Dama de las Camelias ni Naná de Zola sino para nuestra sórdida realidad actual.

En aquellas épocas más felices para un puñado de privilegiados y más desdichadas para la mayoría de la gente tampoco había leyes obreras ni protección al menor que trabajaba, ni a la mujer embarazada, ni aguinaldo, ni vacaciones pagas. Nada salvo doce o catorce horas de trabajo y de noche dormir bajo el mostrador. Todo ha cambiado menos esa nostálgica vocación de concubinato, cordón umbilical que ata a los legisladores de nuestro país al siglo diecinueve en las puertas del siglo veintiuno. Las dos grandes guerras probaron que la mujer era algo más que un objeto de placer; moría como los hombres en la Resistencia y en los campos de concentración; los enemigos no se detenían en sutiles diferenciaciones. En la Argentina durante la "guerra sucia" las mujeres de los subversivos morían junto a sus compañeros y las de los militares eran acribilladas a balazos junto al marido o veían saltar en pedazos el cadáver de sus hijos a causa de una poderosa bomba.

La palabra concubina es degradante y no debe usarse entre quienes no se entreguen a la prostitución.

En nuestro país las mujeres valiosas logran que sus méritos sean reconocidos si son la hija o la mujer de un hombre valioso, de lo contrario su tarea es ardua y sus resultados mediocres. Somos ciudadanos de segunda clase. Kelpers. Pero al menos podemos exigir que esa lealtad y ese desinterés no lleve a que se aplique la palabra infamante: concubina.

236

Entramos en un nuevo período legislativo, por lo tanto estas reflexiones no son ociosas.

Este 3 de noviembre nos enteramos de muchas cosas; algunas que ya he comentado. Otra es que el país respalda plenamente en mayoría a su presidente y otra que me causó un gran placer es que el Dr. Martínez se haya dirigido al pueblo. No hay que olvidar que en diferentes oportunidades el poder ha quedado en sus manos y si tuviéramos la desgracia de perder al Dr. Alfonsín él sería el presidente hasta el final del mandato. Es un hombre sensato, sin aspiraciones de liderazgo, modesto y cordial en su trato, pero en ocasiones como ésta hizo bien en salir de la sombra: el pueblo debe conocerlo mejor.

En este momento sólo me preocupa tener que desconfiar de casi todo el mundo, los que dicen una cosa votan por otra, viven de una manera y piensan de otra. Ya no sé nada sobre nadie. Acabo de descubrir que a todos nuestros defectos se ha sumado la hipocresía; es natural, dado que estamos muy atrasados respecto al resto del mundo y hace más de tres siglos que Molière escribió su *Tartufo*, retrato del perfecto hipócrita. Esto nos demuestra que el hombre no evoluciona tanto y un cortesano francés de 1669 se parecía como dos gotas de agua a un ciudadano argentino de 1985.

Cumplir setenta años

En la mayoría de la gente la vocación de supervivencia es tan poderosa que suele afirmarnos que va a vivir hasta los noventa años, e intenta creer que llegará a esa edad con los mismos encantos, los mismos deseos, la misma capacidad intelectual que a los treinta. Esto nos lo afirman desde una edad ya madura, con el pelo blanco o teñido o, pelados si son hombres, con las carnes flácidas, la tez estriada por una red de venas rojizas o azuladas y, lo que es peor, por ese miedo a la vida que sienten los viejos, el terror a quedarse en la miseria, la avaricia creciente, el cuidado del dinero que antes, cuando tenían diez veces menos, gastaban alegremente, y los temas reiterativos que se incrustan en las mentes que comienzan a involucionar.

Cuando digo esto no me refiero a los verdaderos ancianos, que no llegan ni al cinco por ciento de la población mundial aunque cada cual saca a relucir a la famosa tía que a los ochenta y nueve juega todavía a la canasta, a la abuela que sigue librando cheques sin cometer un solo error, al anciano erguido que se junta con amigos de su misma edad, entre ochenta y noventa, en el café todas las tardes y dos meses después sabemos que la mitad ha muerto. Pero ellos sólo cuentan a los vivos. Proust decía con sorna que la familia exclamaba: "Qué bien está la abuela, a los ochenta y dos años que acaba de cumplir hoy fue a misa, almorzó con sus nietos y después de la siesta pudo recibir a algunos amigos de la familia". ¿Es eso vivir? Para algunas personas vivir fue siempre sólo eso, no han usado nunca una vara para medir sus lentas pero inexorables declinaciones.

El 4 de octubre cumplí setenta años y mido día a día los estragos que el tiempo ha ejercido sobre mí.

No me gustan los viejos por lo tanto no me gusto a mí misma. No me gustan los chicos porque son irracionales ni los perros porque son interesados y solo aman a quien les da de comer. Me gusta el ser humano racional que esta en la plenitud de la vida. No voy a poner una edad exacta al final de esa plenitud pero estudiemos un cuerpo de mujer y luego la mente de un escritor.

¿Qué mujer no empieza a engordar pasados los cuarenta años? ¿Cuál no advierte a los cuarenta y cinco, o cincuenta, celulitis en sus muslos, párpados mas hinchados, leves arrugas en la comisura de los ojos y de los labios? ¿Quién no teme después de los cincuenta saltar desnuda de la cama ante los ojos del hombre querido? Es la época en que comienza el pudor, las *robes de chambre* echadas rápidamente sobre los hombros, las cremas faciales, el maquillaje obligatorio, la tintura que disimula las canas o como decía Louise de Vilmorin: "Estaba en la edad en que las mujeres se vuelven rubias". Las rubias nos arratonamos y debemos dejar que las hebras plateadas se junten con el pelo rubio para no pasar la vida en la peluquería. Todas estas enumeraciones no son importantes, lo serio es que, como decía Mme. de Récamier: "Los jóvenes deshollinadores ya no se vuelven para mirarme". Las glándulas parecen haberse quedado afónicas, los hombres que pasan no miran a la elegante cincuentona y silban ante una criadita de dieciocho años que se contonea haciendo tintinear algunas botellas que lleva en su red de compras. Si un hombre fracasa en el amor con una mujer joven sabe que por muchos argumentos consoladores que ella esgrima el que ha fracasado es él; si fracasa con una de más de cuarenta ella empieza a preguntarse si su atracción comienza a disminuir y se estremece de miedo. ¿Habrá terminado ya la época del amor, de los encuentros, de los "flechazos" irracionales, de las llamadas telefónicas al día siguiente de cada cóctel, de cada comida? Y eso es sólo el principio, luego se acerca inexorablemente la hora de la verdad: la foto en la cual no nos reconocemos, la televisión que no perdona, los contemporáneos que se acercan a recordarnos nuestros días de colegio y parecen salidos de una tumba egipcia. Como cada uno de nosotros sin duda.

He pasado de largo las enfermedades y muchas otras humillaciones quizá porque únicamente por amor a la sinceridad he hablado del aspecto físico que se puede sobrellevar con dignidad, pero apenas me atrevo a pensar en el aspecto intelectual. No me refiero al reblandecimiento porque las personas llegadas a ese extremo se sienten estupendamente bien y se aferran a la vida como un náufrago a la tabla de salvación; no quieren morir nunca, aceptan alegremente su decadencia con tal de seguir respirando sobre el planeta aun en este país tan chato, tan aburrido, tan sin alicientes, donde sólo pueden gozar plenamente de la vida después de la juventud los millonarios y los gobernantes. Al hablar de la vejez en la que he entrado a regañadientes y sin hacerme la menor ilusión sobre esta etapa de la vida, me refiero a las personas lúcidas que aún se imponen deberes y creen por encima de todo en la exaltación de la obra creadora.

Cada persona tiene sus manías, la más constante mía es el temor a la vejez y mi interés por estudiar sus evoluciones, como ya lo he dicho, antes de la época de los achaques y de la incontinencia. Cuando leí el libro de Simone de Beauvoir en que describe con detallada crueldad la decadencia física de Sartre sentí que nadie puede abusar de su intimidad con nadie y aun menos con un gran hombre, para luego lanzar a los cuatro vientos lo más degradante del paso hacia la tumba.

Pero Simone de Beauvoir ya estaba vieja, de lo

contrario hubiera continuado con la actitud de toda su vida, pues no hay en su obra anterior nada parecido a una vileza ni siquiera a una indiscreción sobre la intimidad de ambos. Y esto es lo que me asusta, la disminución de la lucidez de algunos escritores. Cuando Montherlant sintió que no tenía nada más que expresar dijo basta; lo mismo hizo Romain Gary, pese a sus éxitos recientes bajo el nombre de Émile Ajard, pero sentía que algo se había secado dentro de su cerebro.

Me he detenido sin interrupción a considerar la obra de los escritores y he advertido que ninguno de ellos ha escrito sus mejores libros después de los sesenta y cinco años; pongo esta fecha con generosidad. Algunos obtienen el éxito por la obra escrita treinta años atrás como ocurrió con Borges, que jamás pudo escribir a esa edad nada tan valioso como *El Aleph, El jardín de senderos que se bifurcan* o poesías como "La noche cíclica" o "La fundación mitológica de Buenos Aires". Los últimos libros de Mujica Láinez, *Sergio, El escarabajo*, son prescindibles. No lo son en cambio *Aquí vivieron, Misteriosa Buenos Aires* ni *Bomarzo*. Hablé de Simone de Beauvoir y de Sartre: ambos declinaron ostensiblemente alrededor de los sesenta años. La obra anterior de ella puede contarse entre lo mejor de la literatura francesa y de la novela universal, así como las piezas de teatro de él cuando estaban en la plenitud de la vida.

Esta enumeración sería fastidiosa y por supuesto interminable. Lo cierto es que yo vivo aterrorizada ante la página en blanco por temor a cometer libros tan mediocres como los de los colegas de mi edad. Suelo ser precipitada y confiar demasiado en mi memoria, por lo tanto me ha pasado en una cita poner Baudelaire en vez de Verlaine, pero ahora cuando me pasa algo semejante me aterrorizo.

La palabra terror acude constantemente en este texto, pues es la que mejor define el aspecto que me ofrece el porvenir. El hombre no puede negar que existen la infancia, la adolescencia, la juventud, la plenitud de la vida, la madurez, la vejez y la muerte. La mayoría de los seres vivientes mueren sin haber rozado casi la vejez. Creo que cualquier estadística médica o de compañías de seguros podrán confirmar este dato. Yo he visto caer a mi alrededor como árboles abatidos por un poderoso leñador a decenas de hombres y mujeres que no habían alcanzado estos setenta años que hoy me agobian: infartos, cáncer, accidentes, hemorragias cerebrales, edemas pulmonares y muchas causas más me han ido dejando muy sola como a todas las personas de mi edad, para quienes los demás no son intercambiables. Conozco a mucha gente que puede reemplazar a los muertos queridos con amigos nuevos; por desgracia, yo soy muy selectiva, nadie reemplaza a nadie. Hay quienes han ido apareciendo afectuosos y solidarios y han mitigado así la pérdida irreparable de otro. Así, una mujer todavía jo-

246

ven, nacida el mismo día y el mismo año que mi hijo ha hecho por mí lo que haría una hija en memoria de su madre muerta, a quien yo quise con una amistad imbuida de respeto, de veneración y de asombro, pues nunca en nuestra amistad se filtraron confidencias ni infidencias ni fueron necesarias aclaraciones. Era el símbolo de la discreción y de la elegancia, todo se daba por sobreentendido y el desdén de su sonrisa podía más que cualquier argumento para callar a quien pretendía atacar a cualquiera de sus amigos.

Por supuesto, salvo un anacoreta, todos nos aferramos a nuevos amigos y solemos encontrar en ellos, como ya lo dije, generosidades imprevistas, pero no reemplazan a nadie; ocupan otro lugar en la larga escalera del camino recorrido.

Para volver a mi tema central diré que las etapas de la vejez son semejantes a las de la infancia, es decir, muy distintas entre sí. La juventud no marca tantas diferencias, sus cambios son más lentos, más invisibles; uno parece quedar estancado durante seis o siete años y a veces más. En cambio, un bebe de meses no tiene ninguna semejanza con un niño de tres años ni éste con otro de seis ni el de seis con un chico de nueve y así sucesivamente. La educación que recibe es totalmente distinta, aprende a leer, cambia de juegos, de gustos, de estatura, de color de pelo, a veces hasta de color de ojos. La persona que envejece también experimenta esas diferencias aunque pocos lo advierten y a menudo

247

basta una cirugía plástica, un buen peluquero o un vestido nuevo para que los amigos exclamen: "¡Nunca has estado mejor!" Ellos también han olvidado su juventud radiante, el brillo de su piel, de su pelo, de sus ojos y los rastros de belleza repentina que deja una noche de amor.

El amor, ¿cómo reemplazarlo y para qué vivir sin él? La inteligencia de dos cuerpos, la armonía que se confieren no pueden ser suplidas por ningún modisto a la moda. La capacidad de ejercer el acto creador físico y espiritual en su plenitud es lo que marca la edad en que vale la pena vivir. Creo que salvo escasas excepciones el uno nutre al otro, es dependiente de él como la planta de la tierra y de la lluvia y de las caricias del sol. Después la vida es esta larga monotonía, tal vez menos evidente para quienes nunca fueron apasionadamente jóvenes, aquellos que a la edad de mirarse en otros ojos y confundirse con otro cuerpo ya se interesaban, como nosotros ahora, en la evolución del mercado de divisas y en las tediosas cuando no catastróficas noticias de los noticieros televisivos. Los vanidosos, los codiciosos, también pueden suplir con pasiones secundarias las gloriosas pasiones de la juventud. Para mí tener setenta años es llenar mi papelero con carillas rotas casi sin haberlas releído porque si alguna resolución he tomado en este final de vida es no sentarme a escribir el peor de mis libros porque se que se venderá igual y hasta habrá cierto público que lo considerará estupendo. Me he jurado que esta anciana no traicionará a la joven escritora que sacrificó dinero y halagos para dar lo mejor de sí misma a la vocación elegida desde la infancia. Perdón si lo mejor fue sólo eso, la mediocridad no entraba en mis planes, y no la elegiré mientras me quede un soplo de lucidez y de esta altanería que me permite mirar al mundo con la frente alta cualesquiera sean los sacrificios materiales y morales, las horas vacías que conforman la vida de un escritor que se niega a estar por debajo de sí mismo ya que Dios no quiso que estuviera a la altura de tantos genios universales a quienes soñó parecerse en los días de su fervorosa adolescencia en los que hizo sus votos literarios con el mismo sentido de responsabilidad con que hace sus votos religiosos aquel que elige entrar al convento.

Frente a un nuevo reencuentro

A lo largo de mi vida me he reencontrado con la Argentina de regreso del extranjero, lo más a menudo de Europa y para ser más exacta de Francia, al menos cuarenta veces. Cada uno de esos reencuentros ha significado una experiencia tan positiva como la de volver a las fuentes de la cultura europea.

A los argentinos les apasiona hablar de la Argentina, casi diría que el resto del mundo les interesa poco, lo observan como hemos observado los vuelos espaciales o la caminata sobre la superficie lunar; algo importante que existe, que sin duda ocurre pero que no nos incumbe. Día a día en ese terreno nos limitamos más. Este defecto trae aparejada esa cualidad indiscutible que es nuestro calor humano que nos rodea en cuanto ponemos un pie en Aerolíneas Argentinas. Es verdad que cada cual es conocido en un ambiente, en su barrio, pero la verdad es que la manera de atender es aquí mucho más cordial, más campechana, más amistosa. En el banco, pese a la huelga anterior o futura, en la farmacia, en el restaurante, las caras están iluminadas por una sonrisa. Quizás el hecho de ser un pueblo de inmigrantes hace que el trabajo no nos parezca un castigo inmerecido; por el contrario, sólo encontré a una persona con depresión nerviosa y es porque le había llegado la edad de la jubilación. En verdad sólo las obligaciones permiten llenar los largos días de una ciudad en la que se come a las nueve y media de la noche y que carece de atractivos turísticos.

No obstante, si bien encuentro el pueblo afable pese a sus reivindicaciones salariales, advierto que a medida que se va elevando el nivel social y pecuniario de la gente crece en la misma medida su descontento. No cabe duda de que el estar informado permite medir la incongruencia de la situación financiera del país a la que fuimos llevados inexorablemente por cuarenta años de gobiernos deshonestos salvo honrosas excepciones que todos conocemos (Frondizi, Illia y algunos gobiernos militares entre los cuales no se cuentan nuestros últimos, por supuesto). Pero temo que el argentino de clase acomodada piense menos en el país que en su propio bienestar. Le importa el status y la comodidad más que a ningún hombre del mundo. El símbolo de ese argentino, de esa argentina, es el servicio doméstico. Y naturalmente el desayuno en la cama pero traído por la mucama. En Europa el ser atendido a toda hora sólo existe en caso de enfermedad o de los poseedores de grandes fortunas. Daré un ejemplo.

A principios de julio fui a pasar un largo fin de semana a un castillo en Lorena cerca de Luxemburgo, más allá de esa famosa línea Maginot a la que me referiré luego. Se trata de un castillo del siglo XI debajo del cual se acurruca una encantadora aldea de esas que vemos en todas las pinturas francesas. La dueña del castillo, compuesto por supuesto de grandes salones y numerosos dormitorios, no sólo es una pintora de prestigio que acaba de ganar el Gran Premio de la Exposición de Arles, sino que lleva sobre sus hombros todo el peso de la casa: acomoda, cocina, trae y lleva la vajilla casi sin que se note, secundada por un lavaplatos automático, pero no permite que nadie la ayude. El castillo reluce de limpieza, la comida es deliciosa, los quesos han sido elegidos con esmero, su marido ha bajado a la mañana al pueblo a buscar las medialunas y el pan y nos lleva a los cuatro huéspedes el desayuno a la cama en una mesita rodante. Saben lo que yo también he aprendido: la única manera de no temerle a la vida es saber bastarse a sí mismo. *Lo que causa angustia a los argentinos es el miedo a la vida*. Le tienen miedo porque para ellos es un drama carecer de servicio doméstico, tener que hacer algo con sus propias manos a diario, por obligación, por necesidad. Por eso la clase alta que tuvo que aprender a privarse de personal es la que más se asusta, se cree la víctima de una oscura conspiración que quiere privarla de sus privilegios en vez de admitir que el mundo evoluciona, y no siempre a nuestro

255

gusto. En octubre del año pasado en Estados Unidos observé el mismo fenómeno: casas estupendas, la mujer había acomodado, el marido había hecho el pan, el hijo era buen cocinero y todos tan alegres.

En lo que a mí respecta me sorprende que la nafta cueste aquí —país productor de petróleo— más que en París a precio dólar. Actualmente está a cincuenta y cinco centavos en relación con el dólar paralelo, en Francia a cuarenta centavos de dólar oficial pues en ninguna parte existe ya un mercado paralelo salvo en nuestro lejano rincón del mundo. La relación entre las tarifas y los salarios es en la Argentina la más alta del mundo comparada con Francia, Italia, Suiza, España, Estados Unidos. Y este desajuste se agrava, la brecha crece mensualmente en vez de buscar su propia armonía, su nivel normal.

Políticamente, la situación de Francia es muy confusa en la actualidad y el esfuerzo de la oposición para desestabilizar al gobierno es mucho más feroz que entre nosotros. Esto se debe a que en Francia están en pugna la derecha y la izquierda; en la Argentina los dos partidos mayoritarios son de izquierda moderada, es decir tienen la misma tendencia. Yo que soy centrista considero que el peor defecto de la izquierda es el temor a la belleza, el culto a la fealdad. El teatro, por ejemplo, muestra a las claras esta tendencia. Hace pocos años, si uno iba al Odeón en París sabía que vería decorados lujosos, vestuarios espectaculares; los soldados siempre aparecían en uniforme de gala. Este año fui a ver *Friédéric, prince de Hambourg* a esa sala de la Comédie Française, y no aprecié que el borde del escenario estuviera enteramente rodeado por camisas grises, los soldados en uniforme de fajina, transpirados, el escenario cubierto de paja, las princesas vestidas como cantineras que siguen a la tropa, casi en harapos, y ese magnífico príncipe romántico (víctima como Kleist, autor de la pieza, del rígido espíritu prusiano) ni por un momento luce el uniforme de su rango y de su grado sino que, como los demás, ostenta una camisa desaliñada, bombachas grises, capote gris. Pienso que la mayoría de la gente de izquierda se ha criado en un ambiente gris y por lo tanto tiende a reproducirlo pues es la única realidad que conoció y marcó su vida.

¿Qué ven de nosotros los financistas visitantes?

Pertenezco al grupo reducido de personas que consideran que debemos pagar nuestra deuda externa, codearnos con los grandes de este mundo, intentar estar a la altura de ellos para ocupar nuevamente el lugar en el Primer Mundo que nos pertenecía hasta hace cuatro décadas.

Pese a estas reflexiones o al contrario gracias a ellas advierto que los financistas que vienen a cerciorarse de la eficiencia del Plan Austral, opinan —sean del Nobel o no— con extremada precipitación.

He recorrido muchos países pero en gran parte de ellos sólo he visto lo que querían mostrarme. Estuve en Moscú pero el deslumbramiento que me causó la Plaza Roja no me permitía suponer que todos los rusos vivían en medio de tanta maravilla. Por otra parte en los museos del Kremlin sólo podemos admirar las joyas y las ropas suntuosas de los zares. La verdad de los países comunistas no está a la vista de ningún visitante aunque alguna madrugada pude contemplar de lejos la larga cola bajo la nieve de quienes deseaban comprar papas.

En los países capitalistas tampoco podemos mostrar todo; en parte porque no es nuestra obligación sacar a relucir lo malo en vez de lo bueno, en parte porque nadie quiere exponer lo que no le conviene. Admitamos que el Plan Austral es un éxito pero admitamos también que el señor Modigliani actuó con excesiva premura al tratarlo desde Europa como "el milagro argentino" e incluso lo admitió tímidamente en sus últimas declaraciones. ¿Sabe él la pobreza que están pasando los argentinos en general? ¿Sabe acaso que aunque no nos aumenten las jubilaciones o los trabajos congelados por ese plan, nosotros no podemos dejar de aumentarle a la empleada que viene a limpiar o a planchar porque sabemos que de lo contrario no tendría con qué comer? ¿Recorrió el cinturón industrial de la capital? ¿Fue a alguna provincia? ¿Sabe que los servicios públicos se han triplicado en algunos casos muchos después del 14 de junio? Ni el Gobierno ni los particulares podemos ser tan estrictos en la obligación de apretar el cordón de nuestra bolsa, de lo contrario no sólo seríamos inhumanos sino que las huelgas serían más frecuentes y hasta recrudecería la violencia.

El país estaba ya sumido en la hiperinflación y el Plan Austral fue el único remedio, en parte verdaderamente milagroso para sacarlo de ese tembladeral. Pero ahora yo estoy tan perpleja como el presidente de la República, el ministro de Economía, el empresario o el ganadero ante el porvenir inmediato que me espera y ante el modo de afrontarlo. Con esto quiero decir que cada ciudadano escarba en su conciencia para aliviar las necesidades de sus semejantes y como estamos todos congelados esto no resulta fácil.

En muchos casos se ha recurrido a términos ambiguos para aumentar el haber de los menos privilegiados. Se dan "premios" a la asistencia o a la eficacia pero sabemos que la cincha está por reventar. En el país hay hambre, desocupación, incertidumbre, falta de aliciente en el trabajo. Esta segunda etapa que debe afrontar el Gobierno será la prueba de fuego, la gran apuesta que debe ganar por él y por los treinta millones de habitantes que lo acompañan en su lucha por la supervivencia.

También el famoso premio Nobel que a lo mejor es un genio o no lo es porque esos premios como la mayoría están digitados y suelen caer en desaciertos como ocurre con los literarios, ¿por qué no con los económicos? está en contra del ahorro forzoso. Por supuesto que es una medida que no alegra a nadie ni aun a los que no tenemos que pagarlo. ¿Pero de dónde quería ese financista que el gobierno de un país arruinado sacara dinero para afrontar sus gastos?

Lo grave de todo esto es que la presión tributaria detiene a cualquier inversor potencial, deprime a los inversores ya aprisionados en esa red e impide que la Argentina alce vuelo. Un país pobre y endeudado es como una familia pobre y endeudada:

hay que abrir una agujero para tapar otro y al final todos esos remiendos corren el riesgo de hacer estallar la brillante fachada.

Nuestros visitantes van de Olivos al Plaza Hotel, al Alvear, conocen sólo los mejores avenidas amplias aunque mal iluminadas y tienen la impresión de recorrer un país próspero. Me sorprende que ninguno de ellos haya pedido mezclarse de incógnito con el pueblo, entrar en negocios modestos de barrios apartados, conversar con la gente. Creo que es porque ninguno sabe el español. ¿No sería mejor confesar que el país todavía no ha decolado, que estamos estancados y que nuestro producto bruto es uno de los más bajos del mundo, que no ha ocurrido ningún milagro sino que nos hemos visto obligados a apretarnos el cinturón cosa que en cierta forma es buena por tratarse de un pueblo poco previsor, pero en otro sentido corre el riesgo de volverlo aún más derrochón que antes porque las tasas de interés que en Europa parecen altas aquí no interesan sino a los grandes inversores que deben pagar el ahorro forzoso, o los gastos de la cosecha, del aguinaldo en puertas y se ven abocados a diversos problemas de exportación e importación? ¿Pero qué defensa tiene el hombre de la calle? Casi ninguna, por eso en los remates objetos valiosos se venden a vil precio, la viuda de escasos medios, la jubilada, las personas con sueldos congelados pero alquileres indexados deben liquidar lo que poseen. Y esto es francamente muy triste, de una tristeza que no puede presentir un financista por muy premio Nobel que sea.

El país entero ha respondido al Gobierno en las elecciones del 3 de noviembre. Este pueblo enfervorizado con la democracia espera que algún día el mejor de los sistemas de gobierno rinda los frutos prometidos e indispensables para la supervivencia individual. La democracia no puede defraudarlos.

Si algo además de un pronto aunque paulatino descongelamiento podemos reclamar es que en las próximas elecciones haya mesas en planta baja en todos los locales destinados al acto electoral porque un genio inválido o cardíaco no puede emitir su opinión por una incapacidad insoslayable mientras cualquier analfabeto con piernas ágiles tiene la posibilidad de hacerlo.

Entretanto sería acertado que los financistas ambulatorios se enteraran de cuál es el monto mensual que cobra el 80 por ciento de los argentinos. Así quizá nos apreten menos las clavijas y logremos facilidades mayores para pagar nuestra deuda sin que nuestros niños se vean privados de comida, atención médica y educación, sin que nuestros ancianos reciban una propina llamada jubilación aunque en su época hicieron aportes con una de las monedas más altas de la tierra, pero con nueve ceros más que la de hoy. Se llamaba simplemente peso.

Índice

Silvina Bullrich

¿A qué hora murió el enfermo?

La vida íntima de las grandes organi-
zaciones mutuales de atención médica;
los padecimientos, angustias e incerti-
dumbres de los enfermos; las negligen-
cias, los abandonos, la vida fácil y regalada de los médicos directivos, que
transforman el ejercicio de una profesión en una actividad meramente
lucrativa, y desencadenan a tragedia.
¿A qué hora murió el enfermo? apasionante novela de *Silvina Bullrich*
plantea un problema verdaderamente
acuciante de la vida argentina.

Silvina Bullrich

Escándalo bancario

Accidentada historia de una familia que se hunde en el desastre financiero argentino de 1980. Ágil, verídico e incisivo, este libro de *Silvina Bullrich* ha sido comparado con *La Bolsa*, de Julián Martel, que describió la crisis económica de 1890.

Silvina Bullrich

Después del escándalo

Este gran best seller de *Silvina Bullrich* retoma el tema de la crisis financiera con la misma agudeza, espíritu crítico y percepción psicológica con que fue escrito *Escándalo bancario*. Reaparecen algunos de sus personajes principales, no todos, a los que se agregan otros igualmente significativos y característicos. Los cachorros voraces, como los denomina pintorescamente la autora, no se han resignado a la quiebra y al hundimiento moral y social de sus padres. La acción se desenvuelve en el mundo del petróleo, estudiado minuciosamente, en un ambiente matizado por el amor y pasiones sórdidas que llegan hasta el secuestro y la venganza.